VHNB

ANNA AVRATH

Eerste druk 2004

Internet: www.boekenplan.nl

ISBN 90 71794 81 4

Stefaan Van Bosselele

# ANNA AVRATH

Boekenplan

In a dangerous quest to uncover nature's secrets,

The shining dream of immortality lights the way.

Many twists of irony lie ahead,

And true evil is yet to be revealed.

The choice is yours.

What do you want to do?

This book is based on a true story of the battle between good and bad somewhere in Europe.

*The author*

'Opgedragen aan alle Vlamingen die zich vluchteling voelen in eigen land.'

## Inhoud

## Woord vooraf

Vendetta, bloedwraak, de Kanun, eerwraak, begrippen die wij niet zo goed kennen, waar wij wel allemaal van hebben gehoord, maar voor velen 'de ver van mijn bed show'. Toch zijn veel van die begrippen al duizenden jaren verbonden met vele volkeren, en overheersen ze het doen en laten van duizenden, van miljoenen mensen op deze aardbol. Geen wet is er tegen opgewassen, God noch gebod kunnen er iets aan doen. Het is de kracht van het innerlijke, de stem van het bloed, en ja, de eerwraak is zelfs Antwerpen binnengeslopen.

'Voor je één stap zet moet je duizend keer nadenken' (Een broer van een Turks meisje tegen zijn zusje)

Eerwraak is een fenomeen dat afkomstig is van het platteland en uit traditionele samenlevingen, die patriarchaal en hiërarchisch zijn. In deze samenlevingen speelt 'familie' en 'eer' een zeer belangrijke rol. In Turkije wordt die eer 'Namus' genoemd. Man én vrouw hebben Namus. Voor vrouwen betekent dit kuisheid, voor mannen en jongens het hebben van kuise vrouwelijke familieleden. Namus kun je alleen maar verliezen.

Een potentieel huwbaar meisje is een doorlopend gevaar voor haar vader en broers, daarom heeft vroeg uithuwelijken en snel trouwen het voordeel dat de verantwoordelijkheid voor de eer bij haar echtgenoot komt te liggen. Eer heb je of heb je niet. Het is niet zo dat een meisje haar Namus gedeeltelijk verliest als ze met een vriendje zoent en helemaal kwijt is als ze met hem naar bed gaat. Wat telt is of er over haar geroddeld wordt. Zo ja, dan is zij haar Namus kwijt, en met haar de hele familie. Dat is een regelrechte ramp en in extreme gevallen kan dat leiden tot 'eerwraak'.

Behalve Namus heeft de man Seref, wat staat voor aanzien, status, prestige. In tegenstelling tot Namus is Seref wel variabel. Wanneer een man zijn eer kwijt raakt, dan daalt zijn prestige. Aanzien ontleent de man ook aan onafhankelijkheid, vandaar het grote aantal kleine zelfstandigen onder Turken: kruideniers, eigenaars van een shoarmazaakje of een videowinkel. Aanzien kan ook verbonden zijn aan moed, eerlijkheid, bewezen rijkdom en aan zonen die respect tonen. Het gaat steeds om het beeld naar buiten. Veel Turken begrijpen niets van Vlamingen die niet zo om hun eer bekommerd zijn, of dit zeker niet naar buiten tonen. Iemand met veel aanzien zal bij verlies van zijn eer minder snel tot eerwraak overgaan dan iemand die bijna geen prestige geniet.

Eer speelt een hoofdrol in homogene gemeenschappen waar iedereen elkaar kent, waar iedereen van elkaar afhankelijk is en waaruit ontsnappen onmogelijk is. Men is tegelijk buren, collega´s op het werk en familie. Gecombineerd met een traditie van gastvrijheid en veelvuldig onverwacht bezoek leidt dit tot roddel als eerste mechanisme om sociale controle uit te oefenen. Wie dan zijn dochter of vrouw niet in de hand heeft, in het koffiehuis geridiculiseerd wordt en zich nergens meer kan vertonen, die zal alles in het werk stellen om de schade te beperken, in het besef dat het verkeerde gedrag van één persoon de hele familie te schande zet.

Vroeger speelde Namus vooral op het Turkse platteland. Sinds de jaren zestig, toen de migratie naar de grote steden, inclusief die in Europa, een vlucht nam, doet het zich daar ook gelden. In een stedelijke omgeving is de kans op erekwesties groter. Als je in zo'n dorp logeert en je gaat de deur ook maar even uit, hangt iedereen direct uit het raam: Nereye? (waar ga je naar toe?) Of als je terugkomt: Nereden? (van waar kom je?) Het bestaat niet dat je zomaar ergens heen kan. In de stad kun je veel makkelijker ontsnappen, ook al zitten in Vlaanderen de Turken uit één streek in dezelfde wijk bij elkaar. Meisjes gaan naar hun werk, naar school en in een grote flat is minder sociale controle. Maar de normen en waarden zijn dezelfde gebleven, dus als ongeoorloofd contact uitkomt, dan is het goed mis.

De regel bij (Turkse) eerwraak is dat de veroorzaker van het eerverlies wordt gedood. Is een meisje verkracht, dan is dus niet zij het slachtoffer, maar wel de dader. Gedraagt een vrouw zich als een hoer, wordt zij gedood. In geval van overspel hebben beiden de dood verdiend. De man wordt omgebracht door de familie van de vrouw wier eer hij schond. De vrouw wordt gedood door eigen familieleden. Maar in de praktijk houdt de familie de dochter vaak de hand boven het hoofd. De man die haar minnaar is, heet ineens verkrachter. Of dat waar is doet er niet toe, het gaat om de reputatie naar buiten, die blijft op die manier intact. Ook een pasgeboren buitenechtelijk kind is soms het slachtoffer van eerwraak. Alternatief is de baby te vondeling te leggen. Een bijkomende straf kan zijn dat het slachtoffer van eerwraak niet de normale eervolle begrafenis in het land van herkomst krijgt, maar buiten de aanwezigheid van de familie in Nederland ter aarde wordt besteld.

Eerwraak is een zuiveringsritueel. Idealiter vindt hij plaats op een openbare plek, bij daglicht en met vele omstanders. Er is sprake van vele messteken, of van een serie pistoolschoten van heel dichtbij. Verwonden is niet genoeg, het slachtoffer moet dood. De dader wil door het slachtoffer gezien worden, handelt koel en rustig en pleegt zijn daad niet op grond van roddel maar op basis van bewijzen. Na afloop geeft hij zich direct aan bij de politie, onder het uitspreken van de woorden: 'ik heb mijn eer gezuiverd'. De eerwraakpleger heeft geen spijt.

Maar soms is de wraak omwille van de eer niet gepland, met als klassiek voorbeeld de man die zijn vrouw op heterdaad met een minnaar betrapt en haar, of hem, of beiden terstond ter dood brengt. Of zware beledigingen die naar het hoofd worden geslingerd tijdens een hoogoplopende ruzie. Om te voorkomen dat andere familieleden medeplichtigheid wordt aangewreven, behoort de dader alle schuld op zich te nemen. Met het oog op de strafmaat stellen de dader en zijn raadsman de eerwraak achteraf voor als een daad die in een opwelling is gepleegd.

Eerwraak is een uiterst middel. Het gaat om extreme gevallen, de regel is dat erekwesties niet in bloedvergieten eindigen. Daartoe bestaan diverse mogelijkheden. Als het even kan wordt een ongehuwd meisje dat haar Namus kwijt is meteen uitgehuwelijkt, aan de jongen die haar heeft geschaakt of aan een andere man. In het laatste geval fungeert een oudere of gehandicapte man, of een weduwnaar, als 'schanddekker'. Voor een Turks meisje in Vlaanderen geldt dat er altijd wel jonge mannen in Turkije te vinden zijn die graag met haar trouwen om zo aan een felbegeerde verblijfsvergunning te komen. Voor een vader is dat natuurlijk geen troost, hij wil een goede partij: een familielid of een zoon van een kennis. Soms wordt een Turks meisje dat zich in Vlaanderen te vrij gedraagt naar familie in Turkije gestuurd.

Een echtscheiding kan een erekwestie oplossen, waarbij de man zijn vrouw overigens in veel gevallen wel als zijn Namus blijft zien, wat betekent dat zij er geen vriend op mag nahouden. Drastischer is een verstoting. Andere manieren zijn: als gezin wegtrekken, doen alsof er niets aan de hand is, de schande accepteren, volstaan met excuses, alleen een flinke scène schoppen, de vrouw fysiek mishandelen, een externe bemiddelaar inschakelen of een rechtszaak beginnen. Als alle alternatieven falen, en er spelen speciale factoren een rol die de zaak doen escaleren, komt eerwraak alsnog in beeld.

Er zijn een aantal factoren die de kans op het plegen van eerwraak verhogen. Allereerst is dat de druk van de Turkse gemeenschap. Door alle geroddel kan men in een isolement raken, of er zijn economische consequenties. Provocaties van de eerschender brengen een vreedzame oplossing niet dichterbij. De politie inschakelen is soms als olie op het vuur. Een eerwraak op een gewezen echtgenote kan tot doel hebben zeggenschap over de kinderen te krijgen. Ook kan eerwraak dienen om het meisje weer uit te kunnen huwelijken aan een eersteklas partij.

Opvallend is hoeveel daders werkeloos zijn. In Turkije leef je als werkeloze altijd nog in de Turkse context, hier ben je direct afgesneden van de maatschappij, met alleen nog de Turkse tv en het koffiehuis. Als je eer dan geschonden wordt omdat je vrouw vreemd gaat, is het weinige aan prestige dat je nog bezat weg en zal de man dit verlies snel willen herstellen, desnoods met inzet van zware middelen. Te meer omdat de roddels zijn geboortedorp in Turkije snel zullen bereiken en een gastarbeider van de eerste generatie graag terug wil keren. Maar het plegen van eerwraak geeft geen extra aanzien. Je eer mag gezuiverd zijn, voor de rest verandert er niets. Het plegen van eerwraak maakt je niet tot een held.

De wraak om de eer speelt ook een hoofdrol in het navolgende verhaal, dat zich afspeelt in Antwerpen, een fiere Vlaamse havenstad gelegen aan de Schelde.

## Inleiding

In het Midden Oosten zijn veel volkeren opgestaan met grote beschavingen, maar zij zijn al lang verdwenen. De Koerden hebben dat alles zien komen en gaan, en leven er nu nog. Waar zij juist vandaan komen is niet geweten. Sinds mensenheugenis leven zij in Anatolië, de bergen van het Midden Oosten. Zij spreken net zoals wij een Indo-Europese taal. Behalve de Islamitische godsdienst hebben ze weinig gemeen met de Turken en met de Arabieren. Hun woongebied bestrijkt verschillende landen, elk land geregeerd door andere volkeren. Op politiek vlak betekenden zij niets. Van enige culturele of nationalistische ideeën was nooit sprake. Verschillende malen kwamen de Koerden in opstand tegen de Turken, maar deze sloegen telkens hardhandig terug. Na een langdurige opstand in 1970 kregen ze een beperkte vorm van autonomie. Toch begon eind jaren tachtig, begin jaren negentig een onverbiddelijke oorlog tussen het Turkse leger en de Koerdische Onafhankelijkheidsbeweging P.K.K. Die beweging ging allesbehalve zachtzinnig te werk. De Turken sloegen al even brutaal en hard terug. Dorpen werden vernietigd, steden werden aangevallen en met de tactiek van de verbrande aarde wilde het Turkse leger de rebellen de bergen in drijven. De grote slachtoffers waren natuurlijk de gewone Koerdische burgers. Toch werd, zelfs in de media, één bevolkingsgroep vergeten: de Assyrische Christenen. Zij leefden daar waar de strijd losbarstte, en dienden te vluchten. Nu leeft deze gemeenschap verspreid over de aardbol.

Het verhaal dat hierbij wordt gepresenteerd is fictie en geen fictie tegelijk. Het handelt over een bestaande wereldstad (Antwerpen), en over bestaande bevolkingsgroepen, allochtonen en autochtonen genaamd. In dit boek wordt duidelijk gemaakt dat een multiculturele samenleving geen sprookje is, maar een realiteit, en ook een mogelijkheid tot een hoopvolle toekomst. Het boek handelt over twee Assyrische boerenzonen die met hun families gevlucht zijn voor het geweld in hun geboortestad in het Zuid Oosten van Turkije. In Antwerpen leren ze het westerse model van de samenleving kennen, en ontstaat er een dagelijks gevecht voor het behoud van de eigen waarden, en de integratie in hun nieuwe wereld. In dit boek loopt de driehoeksverhouding tussen twee Assyrische vrienden en één Vlaamse arbeider, die zich bekeerde tot het Vlaams Blok als een rode draad door het verhaal. Voor het verhaal steunde ik op geschriften en artikels welke ik toegezonden kreeg van Amnesty International en het Vlaams Blok, alsmede persoonlijke contacten met leden van de Protestantse Gemeenschap in Antwerpen, en Assyrische, Turkse en Marokkaanse vrienden, welke mij elke dag opnieuw leerden wat de echte waarden in het leven zijn. Het boek dient een aanklacht te zijn, een signaal voor hen die niet geloven in samenleven met andere gemeenschappen, maar eveneens dient het de ogen te openen naar de gevaren van de Westerse maatschappij.

Veel leesgenot.

## Het beloofde land

Een enge ruimte begrensd door betonnen wanden, met daarin een klein getralied raampje boven de brits, een schamel kastje, een lavabo met een nachtemmer en een mens: de inboedel van cel 1047. In die cel, in de gevangenis van Leuven Centraal zat Ahmed... nu al meer dan een jaar. Uiterlijk zat hij bladstil op zijn bed. Ineengedoken met de ellebogen op de knieën, het hoofd omlaag als een bloem, te zwaar na een forse regenbui. Binnenin hem woedde echter een aanhoudende storm van twijfelvragen en wankele antwoorden die telkens weer samenbundelden in een basale angst. Een angst die hem uitputte... dag en nacht.

Niets doen is een gevaarlijke bezigheid. Maar wat kon hij doen? Nogmaals de brief herlezen, die naast hem op de brits lag? Eigenlijk was het niet nodig die brief vast te nemen. Ernaar kijken volstond omdat hij elk woord al van buiten kende. Een week geleden was de brief gekomen. De aanhef had hem met hoop vervuld. Ibo was een jeugdvriend en dat was hij altijd gebleven, maar vooral nu bleek hij een ware vriend te zijn. Ibo..., een eenvoudige jongen, 32 jaar en net als hijzelf afkomstig uit een Assyrisch dorpje, was hem niet vergeten. Ahmed's ogen fixeerden de letters in blauwe inkt die doorlopende strepen vormden, af en toe onderbroken door plooien van het vele dicht – en openvouwen en weer lezen. Dat smoezig geworden papieren velletje, dat briefje met die simpele maar vooral pijnstillende en hoopgevende woorden 'Dag broertje van me', had buitengewone waarde voor hem.

Juist vandaag sloeg de eenzaamheid verpletterend toe. Dat gold voor alle gevangenen. Eenmaal per week immers zaten ze in een loden eenzaamheid, want dan was er geen telefoon, geen briefje, geen bezoek. Zo'n dag was telkens weer de hel vergeleken met het vagevuur van de andere dagen. Al waren die ook moeilijk om door te komen. Van het web van de aanhoudende, betuttelende regeltjes en van de keiharde gedragslijnen mocht geen millimeter worden afgeweken. De korte bezoektijden, de gecontroleerde telefoongesprekken, de krassende metalen deuren, de pasjescontroles en het in rij staan en wachten.... Steeds maar wachten onder het oog van de alziende bewakers, de chefs, zou in elke gevangenis wel doffe ellende zijn.

Voor volgende week had Ahmed bezoek aangevraagd, maar ook dat wat een kortstondig gelukkig gevoel kon zijn, zou eerder vernedering blijven. In een bezoekzaaltje van tien bij twintig passen stonden 36 tafels in rijen van drie opgesteld. Als dat allemaal bezet was, had je nauwelijks enige privacy. De enige tegemoetkoming in wat gezelligheid, waren een snoepgoed – en frisdrankenautomaat. Elke gevangene zou moeten worden zoals die machines: automatisch, gedachteloos en pas handelend na een druk op de knop. Ahmed leed eronder. Hij was immers nog te veel mens en te weinig machine geworden. Daarom ook griefden hem al die gedragsregeltjes zo, maar vooral het gevoel dat deze brief, de brief van IBO, al geopend en gelezen was toen hij hem in handen had gekregen. Dat gevoel, die gedachte bleef als een steen op zijn hart liggen. Te bedenken dat andere mensen, sommigen ongelovig.... Goddeloos zelfs, die fragiele woorden gelezen hadden. Dat zij erom lachten, de brief bepotelden en ontheiligden. 'Godverdomme!' Ahmed schrok van de vloek die over zijn lippen rolde. Hij vouwde de brief dicht om hem even later weer te openen en te lezen.

Dag broertje van mij,
Moge God je de komende weken en maanden de nodige kracht geven om deze moeilijke periode van je leven door te komen. Gedenk toch dat wat je nu overkomt niet het einde, maar het begin van een nieuw leven kan zijn. Het is een start voor jou, voor mij, voor je familie om verder te gaan. De geschiedenis leert ons veel over God, over de schepping en over de mensen. Mensen zijn schepselen van God, maar ze zijn onvolmaakt door hun eigen toedoen en daarom maken ze fouten, maar van deze fouten kunnen ze leren. Leer dat vriendschap en familie zeer belangrijk zijn in dit leven. Uiteindelijk heeft God met alles een bedoeling, ook met datgene wat jou overkwam. Maar wraak en verdriet die in ons opwellen zijn slechte leraars. We moeten vooruitzien en leren van het verleden om in de toekomst geen fouten meer te maken. Voor mij ben je een broer, een mens die een nieuwe kans verdient en krijgt. Als ooit de gevangenispoort achter jou dichtgaat, dan mag je niet meer achterom kijken, alleen vooruit. Ik doe dat ook, kijk naar de toekomst en bedenk dat God het goed voorheeft met ons allemaal, en ook met jou. Je weet ondertussen wel wat er allemaal

gebeurd is bij jou thuis. Je vader, Baba, is meermaals dronken thuis gekomen en heeft je zus Fatma geslagen, en je moeder. Til er niet te zwaar aan, maar steun hen. Baba verdient geen steun. Iemand die zijn vrouw en kinderen elke dag slaat is, naar ik meen, geen goed mens. Ik vind het jammer voor hem, ik had het niet verwacht. Het is verschrikkelijk het telkens opnieuw te moeten vernemen. Ik bid elke dag GOD dat Hij hier hulp wil bieden.
Nezir is een jongen die soms wel zijn broer mist, en veel aandacht vraagt. Gelukkig doet hij wel zijn best op school, wat toch heel positief is. Bilo heeft het eerst niet goed gedaan op school, maar is er nu toch aan het komen. Ik heb eens met haar gepraat en ik heb gezien dat ze nu toch haar best doet. Ilhan is noch mossel noch vis. Soms doet hij zijn best, soms doet hij mensen pijn. Ik denk dat het komt omdat hij slechte vrienden heeft. Hij gaat te veel om met de familie Rosenberg, je weet wel, die gasten van Gent. Ik heb er al over gepraat met Fatma, maar dan wordt ze kwaad want die zijn vrienden van haar... Ik ga me er niet meer mee moeien want ik wil geen ruzie meer. Ik weet alleen dat er drugs gebruikt worden op die feestjes, dat men Ilhan leert alcohol te drinken. Hij is nog maar 14 jaar. Neen, volgens mij is het niet gezond. Wat Fatma betreft moet ik zeggen dat het echt een engel is. Ze doet haar uiterste best op school, en ik ben zeker dat ze haar diploma haalt aan het einde van het schooljaar. Ik wil het ook eens hebben over de toekomst. Heb vertrouwen in jezelf. Ik weet dat het allemaal zal meevallen, dat je gauw weer naar huis kan gaan. Ik hoop dat we dan echt de tijd hebben om bij te praten, om elkaar beter te leren kennen. Wees niet ongerust om het financiële of werk, als het zo ver is heb ik al twee firma's waar je met open armen zult worden ontvangen. Dan heb je ook de tijd en de mogelijkheden om stilaan alles op te bouwen zoals het moet in het leven. God is met jou, is met ons. Zolang je er niet bent, zal ik wel over je familie waken, en hen helpen zolang het nodig is. Heb je jezelf nog nooit afgevraagd waarom? Ik zal het je zeggen. Ondanks alles wat er gebeurd is in het verleden geloof ik in jou, in de goedheid van je hart. Broertje, in de toekomst ga je meer en meer je hart moeten volgen. De wereld is hard, maar ik ben er wel voor jou. Ik hoop echt dat ik je een beetje kan helpen. Wees niet ongerust als je moet voorkomen. God is streng, maar hij is wel rechtvaardig. Ook de rechters zijn zo, streng maar rechtvaardig. Je bent jong, en er zal altijd een deur openstaan voor jou die je de kans geeft een mooie toekomst op te bouwen. Als je vrij bent zal er een nieuw leven beginnen, zal je zien

dat er toch nog iets moois van dit leven is te maken. Ik groet je, broer, vriend voor het leven. Ik sta achter jou en achter je familie. Ik vraag aan God je te zegenen en je al de kracht te geven die je nodig hebt om deze periode door te komen. Ik beloof je dat ik over Fatma zal blijven waken, en ook over de rest van de familie. Hou vol, je staat er niet meer alleen voor.
Broertje.

Ahmed zat op zijn bed, in zijn cel, en langzaam gleed de brief die hij zojuist had gelezen door zijn vingers. Hij dwarrelde even en viel op de grond. Zijn gedachten namen de vrije loop, en beelden van vroeger kwamen terug. Hij dacht over het laatste woord van de brief, het woord 'broertje'.

Zo noemde hij ook zijn andere vriend, Kemal, al zo lang ze elkaar kenden. Maar hoe had het ooit zo ver kunnen komen? Waarom moest het zo gebeuren? Zijn gedachten dwaalden af naar die fatale vrijdagavond, een jaar eerder, en nog vroeger naar Hassana in het uiterste zuidoosten van Turkije, zijn geboortedorp dat volledig verwoest was. Over zijn dorp had hij vele verhalen gehoord van Baba en Daye.

Hassana was het laatste Christelijke dorp dat omgeven was door Koerdische moslims. Ahmed werd door de buitenwereld, net als de andere inwoners ' Hasnaye' genoemd. 's Avonds bij het open vuur vertelde Baba over de waarden van hun volk. 'Wij zijn anders en geloven in de traditie van het geloof, levend in de schaduw van de berg Djudi, de berg van de ark van Noah.' Hun hele leven stond in het teken van hun geloof in de Schepper.

Gezeten op zijn koude, in feite te kleine brits in de gevangenis van Leuven Centraal, mijmerde Ahmed over zijn volk dat van oorsprong uit wevers en boeren bestond. Nu zijn ze net als hijzelf vluchtelingen, verspreid over alle uithoeken van de wereld. Toen hij klein was vertelden de dorpsoudsten in de klas over hun volk. Hij herinnerde zich hoe Ilias, zijn leraar in de derde klas de geschiedenis van deze vluchtelingen bezong. 'De dorpelingen van Hassana zijn de overblijfselen van twintig eeuwen christendom aan de oevers van de Tigris. Wij spreken onze eigen taal, het Sureth, een variant van het Nieuw Aramees.' Maar ondertussen was er veel veranderd, en Ahmed ervaarde hoe hun gesproken taal verbasterde door de Turkse en Koerdische invloeden door de eeuwen heen.

Op de kaart kon Ahmed zo aanwijzen, waar ooit zijn armetierige wieg had gestaan, in het veel te kleine huisje in die dorre, bergachtige streek in het Zuidoosten van Turkije. Hassana was gelegen in het zogenaamde drielandenpunt, op Turks grondgebied, vlakbij de Iraakse en de Syrische grens, op de weg die kronkelt door de bergen en de Koerdische steden Nisibis en Hakkari met elkaar verbindt. Armoede kenden Ahmed en zijn vriendjes niet in het plaatsje met zijn wevers, zijn landbouwers, zijn handelaars zoals Baba er één was. Maar als hij ooit iets wilde bereiken in het leven, als hij wilde studeren aan de universiteit van Istanbul of Ankara, dan was Ahmed verplicht zijn afkomst te vergeten, zijn geloof te verloochenen zoals vele eeuwen terug gebeurde door één van de apostelen op de vraag of hij de Heer kende.

Baba, Ilias, de buren uit Hassana vertellen 's avonds nog steeds aan het haardvuur, of in enkele bepaalde cafés in Antwerpen, over de moeilijkheden die ze ondervinden nu ze als Hasnaye deel uitmaakten van een andere, nieuwe wereld. Maar ook over de hoop die ze hadden op een Assyrisch thuisland dat ooit zal herrijzen. Hun heimwee, maar vooral hun hoop op een terugkeer, houdt deze kleine gemeenschap, deze families, verenigd in die toch voor hen vreemde cultuur. Hier, in Antwerpen, zijn ze niet omringd door alleen maar Moslims, maar toch voelen ze zich niet thuis. Van nature uit waren ze geen vijanden van de moslims, die hun eigen geloof hadden, die hun eigen God en Profeet aanbaden. Hasnaye, de Assyrische Christenen zijn vergevingsgezind, zoals de Schepper het hen heeft geleerd. Toch zagen ze dat de Islam hier anders beleefd werd dan in Turkije. Er waren hier in Antwerpen veel moslims die zich dreigend opstelden, tegen de autochtone bevolking, zelfs tegen hen, de Assyrische Christenen die met niemand ruzie hadden. Iedereen voelde de spanningen aan, iedereen wist dat de multiculturele samenleving in Antwerpen niet altijd de ideale mix was. Er was niet alleen haat en racisme, maar vooral veel onbegrip.

Tijdens de lange winteravonden, ver van huis, gezeten op kramikkelige stoelen in de rokerige Turkse Clubs, probeerden de mannen te doorgronden wat er gebeurde in deze voor hen nieuwe wereld.

De angst voor het toenemende geweld, en zelfs de angst voor de Islam slaat toe in Antwerpen. Ahmed had meer dan eens de vraag gesteld aan Baba wat hij moest doen, hoe hij met die anderen kon omgaan. Zijn vader gaf hem raad, een wijs man sprak. 'Zoon, er zijn twee houdingen mogelijk: men staart zich blind op de excessen van een kleine minderheid, maakt er een karikatuur van en verschanst zich in eigen stellingen. Dit is gevaarlijk, jongen, want net zoals in Hassana zal het verkeerd aflopen. De situatie zal verder verzieken, tot vroeg of laat de vlam in de pan zal slaan. Probeer de positieve krachten aan te boren, te zoeken naar gemeenschappelijke raakpunten en van daaruit bruggen te slaan, in uiterst respect voor elkaar.'

Ahmed had al veel gelezen over de verschillende godsdiensten. Hij zag zelf in dat over de islam in Antwerpen geruchten leven die totaal geen band meer hebben met de realiteit. In werkelijkheid gaat het om een bevolkingsgroep met heel veel schakeringen. De overgrote meerderheid van zijn vrienden die hij ondertussen had leren kennen, heeft geen boodschap aan welk radicalisme dan ook.

Ahmed was ervan overtuigd dat het niet de jongeren die naar de moskee gaan zijn, die het probleem vormen, maar eerder zij die losgeslagen en ontworteld zijn. Hij had al die problemen al gezien in zijn geboorteland. Hij, en zijn fiere volk waren anders. Door te leven zoals God het wil, hadden ze andere waarden en tradities meegekregen. Het verleden toonde aan dat de Hasnaye, de Assyrische christenen een bemiddelende rol konden spelen als bruggenbouwers tussen gelovige moslims en joden. Hoeveel keren hadden zijn ooms niet gepraat over hun ervaringen in grote steden zoals Istanbul, waar iedereen naast en met elkaar leefde. Moeder en vader hadden hen altijd opgevoed met de boodschap verdraagzaam te zijn voor de anderen, respect te hebben voor de medemensen, en te helpen war ze konden.

Het is de kern van hun geloof, duizenden kilometers van hun geboorteland. De Hasnaye vechten elke dag een verbeten strijd om de tradities, hun geloof, hun eer hoog te houden, en hun kinderen de beste opvoeding te geven in onze westerse maatschappij. Deze, soms vergeten bevolkingsgroep in België, die naar schatting nu 70.000 mensen telt, vecht elke dag voor het behoud van de waarden. Hun jongeren worden elke dag geconfronteerd met twee werelden, een wereld vol traditie en geloof, en een westerse. Deze bijna-volwassenen zoals een Ahmed, die zich willen aanpassen in de huidige samenleving, botsen telkens op een muur van onbegrip wanneer zij hun leeftijdsgenoten proberen uit te leggen waarom ze op vijftienjarige leeftijd nog geen vriendje hebben, of waarom drugs en alcohol taboe zijn. En zo hebben door de jaren heen de Hasnaye zich verspreid over de wereld, van Zweden tot Zuid Afrika, van Canada tot Duitsland, als rotsen in de branding, als soms eenzame vuurtorens in een zee van ongeloof.

Aldus is ook de geschiedenis van Ahmed en zijn familie. In het voorjaar van 1989 waren Baba, Daye, Ahmed en Fatma met de rest van het gezin in Istanbul aangekomen. Ze hadden een reis van drie dagen en drie nachten achter de rug. Het had Baba vijfduizend dollar gekost, en in veel te kleine wagens, achteraan een vrachtwagen of soms gewoon met een bus, midden de nacht, hadden ze de helse tocht gedaan. Onderweg stopten ze in kleine boerderijen waar hen onbekende mensen opwachtten, en ergens in een stal een plaats toonden, waar ze de nacht konden doorbrengen. Ze kregen eten en drinken, maar gelegenheid om zich behoorlijk te wassen was er niet. Ze waren vluchtelingen, in de handen van mensensmokkelaars. Zijzelf zagen die mannen niet als smokkelaars, maar als hun paspoort naar vrijheid en geluk. Ze wilden naar Canada, maar kregen geen visum. Europa was gemakkelijk bereikbaar, en voor de familie het goed en wel besefte, kwamen ze aan in België, een land van vele culturen en gemeenschappen, een overwegend vlak land gekneld tussen Duitsland en de Noordzee. In totaal deden ze zes maanden over een afstand die per vliegtuig, zelfs met een tussenlanding in Istanbul hoogstens zes uur duurde. Maar toen ze hun nieuwe thuishaven bereikten, voelden ze toch een gevoel van geluk, en het voornaamste was dat allen nog gezond waren.

In zijn veel te kleine kamer in de gevangenis van Leuven Centraal liet Ahmed zijn gedachten de vrije loop over die spannende, soms onmenselijke tocht naar België, en zag hij voor zich weer het moment dat hij er arriveerde als dertienjarige knaap.

Die landing van het vliegtuig in België, in dat verre land waarvan ze alleen maar hadden horen over vertellen, was onvergetelijk. De trotse zilveren vogel liet zich van een hoogte van achtduizend meter met gierende motoren naar beneden vallen, met aan boord enkele tientallen mensen die de ganse reis hadden gekeken naar het groepje ellende dat achteraan een plaats had gevonden, en alleen in het bezit was geweest van handbagage. Een smak die de passagiers dooreen schudde, was het teken dat de wielen van het vliegtuig contact hadden gemaakt met de harde landingsbaan. Spontaan begonnen sommigen een applaus, als teken van waardering voor de vliegkunsten van de piloot. Een krakende, metalen stem kondigde in drie talen aan dat men was aangekomen in België, de start van een nieuw leven. 'Brussel Nationaal', de luchthaven gelegen nabij het dorpje Zaventem, daar kwamen ze aan, vader Baba, moeder en zeven kinderen, waarvan hij, Ahmed de oudste was. We schrijven 23 oktober 1989. De lucht was een grijze deken die zich uitstrekte over de aarde, en het volledige heelal omknelde. Het regende die dag pijpenstelen, een regen die hen geselde tot op hun blote huid. Ze hadden geen regenjassen, noch regenschermen. Die reis had hen zes maanden van hun leven genomen, en wat voor een leven? Van Hassana via Ankara naar Istanbul. En dan naar Italië waar ze enkele maanden verbleven, Rome en Firenze, en zo in twee dagen via Zürich naar Parijs, en nu.... Brussel. Men had aan vader Baba gezegd dat er in Antwerpen plaats zou zijn voor de familie. Bang en schuchter als kleine kinderen, elkaars hand vasthoudend kwamen ze bij de paspoortcontrole. Daar stonden twee struise rijkswachters, wijdbeens de bonte menigte die afkwam beschouwend, in hun vers gesteven, onkreukbare uniform, zoals zijzelf trouwens, rechtvaardig en onkreukbaar. 'Papers', vroegen ze in het Engels, op een toon die geen tegenspraak duldde, en met een gebaar dat onmiddellijk werd begrepen. Vader gaf de paspoorten en wees naar zichzelf, naar moeder en naar de kinderen. Ze hadden die papieren in Italië ontvangen, nadat Baba nogmaals duizend dollar had betaald. Hij wist diep in zijn hart dat het misschien toch niet eerlijk was, maar om zijn familie te helpen zou Baba desnoods tot het uiterste gaan. De rijkswachters vroegen iets in een voor hem onbekende taal. Hij wees naar Daye, de kinderen en zichzelf, en antwoordde die enkele woorden die hij onderweg had geleerd. 'Katholiek', bleef hij maar herhalen, 'allemaal katholiek'. Die rijkswachters haalden de schouders op, ze lachten en lieten iedereen passeren. Eenmaal buiten het luchthavengebouw werd het Baba te machtig. Tranen welden op, en één voor één omhelsde hij de kinderen heel teder. Hij hief zijn armen ten hemel en riep uit: 'Het is gelukt, God is groot, God is almachtig!'

Twee maanden later waren we in Antwerpen, zat Ahmed te mijmeren in zijn koude cel in Leuven Centraal. Hij dacht aan die gebeurtenissen die in het jaar 1989 hadden plaatsgevonden, zijn eerste stappen in België na een lange calvarietocht, als oudste zoon van Baba en Daye, zoals zijn ouders in het Assyrisch pleegden genoemd te worden.

Ahmed liet zijn gedachten de vrije loop, gezeten op het ijzeren ledikant, in zijn nieuwe 'woning' van hooguit enkele vierkante meter. Hij was gekooid als een leeuw, een jong dier dat onrustig werd bij de vele herinneringen die spontaan door zijn hoofd schoten. Hij was opgesloten, letterlijk en figuurlijk, gevangen in zijn eigen gedachten, vergeten in een kooi van staal en beton. Hij droomde even weg, denkend aan zichzelf, een snotneus die na een helse tocht aankwam in een vreemd land, dat hij toen alleen kende van de vele verhalen over tantes en buren die reeds een eeuwigheid vertrokken waren uit Hassana.

Die eerste uren in België, echt, dat was toen de hemel, het aardse paradijs. Ik kon me tijdens die momenten duizenden kilometers weg van Hassana, niet inbeelden dat er nog iets mooiers was op deze wereld, om als jonge volwassene, samen met de familie de eerste stappen te kunnen zetten in een nieuwe wereld, een democratie waar we eindelijk vrij waren.

'VRIJ.' Onwillekeurig moest Ahmed lachen met zijn eigen zwarte humor, een gevoel van sarcasme kon hij ternauwernood onderdrukken.

Vrijheid. Het was een zwaarbeladen, onwezenlijk woord. Ik besefte toen niet echt wat het betekende om niet geknecht te zijn, om een eigen mening te hebben. Daar was ik ook nog te jong voor. Maar de laatste jaren dat we in Hassana woonden had Baba regelmatig 's avonds de ganse familie bijeengeroepen. Gezeten op de lemen vloer in de woning die soms meer op een hut leek, waarschuwde hij ons als stamvader wanneer hij hoorde dat de Turkse soldaten weer naar ons dorp kwamen om de Koerden te zoeken. Of hij vertelde dat hij gehoord had dat de Koerden op zoek waren naar verraders, die hun eigen volk uitleverde aan de moordende soldaten. In die periode in Hassana hadden we leren zwijgen.

Ahmed was het gewend dat hij ook moest zwijgen in zijn huidige nieuwe situatie, hier in Leuven Centraal. Het waren niet zijn woorden die zijn leven bepaalden, maar het waren de woorden geschreven in de ontelbare gedragsregels, huishoudelijke reglementen en brieven van de directeur van de gevangenis. Dat was het verschil en de gelijkenis met vroeger. Hij kwam van een streek waar hij als kind had leren zwijgen, en was nu als volwassene in een voor hem vijandige omgeving, waar hij opnieuw moest zwijgen. Hier waren alleen de gedachten en de mijmeringen niet geboeid, niet gevangen. Toch was het ooit anders geweest, mijmerde hij.

In ons nieuwe vaderland waar we net waren aangekomen, mochten we zeggen wat we dachten, zonder bang te moeten zijn voor de gevolgen van onze woorden. We zaten midden tussen allemaal Christenen, en ons geloof was geen last meer maar een baken. We hoefden niet meer bang te zijn voor zwaarbewapende soldaten die naar onze zussen of moeders keken, op een walgelijke manier. We moesten niet meer zwijgen als er Koerden in de buurt waren. Ons geloof konden we voor het eerst in jaren weer openlijk belijden. We waren vrij.

Die nieuwe gevoelens, vermengd met de oude, zorgden voor verwarring en ongeloof bij de jonge Ahmed en zijn familie. Hij herinnerde zich zijn eerste gedachten: Eindelijk... na een eindeloze tocht, vol ellende en verdriet, vol wanhoop en pijn. We waren in het beloofde land dat men België noemde. Hij had er nog nooit van gehoord op school, wel tijdens die avonden als er verteld werd over hen die reeds eerder uit Hassana waren vertrokken. Pas enkele dagen voor zijn vertrek uit de bergen had Ahmed in een oude atlas gemerkt dat het een kleine groene vlek betrof naast Duitsland.

De familie van Kemal, zijn beste vriend in Hassana, was pas enkele weken later aangekomen. Ondertussen had Ahmed hem al een brief geschreven en hem over het wedervaren verteld van zichzelf en zijn familie. Mensen die zeiden dat ze het goed met Baba en de zijnen meenden, toen deze Assyriërs in hun nieuwe vaderland aankwamen, stuurden hen naar het OCMW. Deze Samaritanen, ook Christenen, waren lid van de Protestantse Kerk en ontfermden zich over Daye, Fatma, Baba, Ahmed en de andere jonge spruiten die met grote donkere ogen alles in zich opnamen. De medewerkers van de dominee vertelden Baba dat het OCMW een instantie was, waar men na het invullen van een eindeloze vracht papieren, geld zou krijgen van de Belgische regering. En een woning, voedsel en kledij. Voor de Hasnaye was dit bericht te mooi om waar te zijn. Er was eerst een dienst vreemdelingenzaken, en die moest alles grondig uitzoeken. De nukkige en overwerkte ambtenaren, meestal onderbetaald en ver weg van huis, stelden honderden vragen, zelfs vragen die niet begrepen werden door de eenvoudige Assyrische familie uit de bergen, en die mensen getuigden van het logge bureaucratische apparaat dat heerste in België. Telkens opnieuw moest de arme vluchteling, of hij nu uit Turkije of uit Soedan kwam, hetzelfde verhaal vertellen. Ahmed zei dat hij uit Hassana kwam, een dorp van christelijke Kaldani bij de Iraakse grens, en dat de Turken en de Koerden, hen, de Christenen, als honden behandelden. Het duurde een hele tijd voor die pennenlikkers wisten wat hij bedoelde. Steeds opnieuw zeiden ze dat Assyriërs dus Turken waren, maar Ahmed, koppig als een jonge ezel, bleef volhouden dat ze zich vergisten. Die koningen van de administratie zeiden dat ze moslims waren, maar weer verbeterde Ahmed hen en schreef de Engelse vorm voor hen op: 'Chaldean'

'Zo', zeiden ze, 'een Chaldeaan, nooit van gehoord, kom later nog eens terug.' Waarschijnlijk wilden ze alles verder controleren, of waren ze het gezeur van die jonge snaak moe, maar Ahmed gaf niet op en een week later stond hij er opnieuw. Maar weeral werd hij onvriendelijk terechtgewezen dat hij een Turk was, een Islamiet, en wanhoop maakte zich van hem meester. Goed, zijn familie kreeg een woning en financiële steun, maar ze waren geen Turken en zouden dat ook nooit worden. Langzaam begon Ahmed, ondanks zijn jeugdige leeftijd te begrijpen dat het een eeuwige discussie zou blijven, een onbegrip dat kon leiden tot verwarring.

Ondertussen was Daye, door toedoen van een vriendin in contact gekomen met de familie Willems, de dominee van de Protestantse kerk en diens echtgenote. Het gezin woonde in het centrum van Antwerpen, en stelde zich, volgens hun eigen zeggen althans, belangeloos ten dienste van de maatschappij. Weliswaar de linkse kant van de maatschappij. Eveneens was het zo dat ze mandaatfuncties bekleedden in diverse V.Z.W.'s en verenigingen, die elk op hun beurt subsidies kregen van alle mogelijke overheidsinstanties die Vlaanderen rijk was. Daye ging aankloppen bij die Kerk en vroeg er om hulp, smeekte er om samen met de kinderen begeleid te worden in hun nieuwe wereld. De familie Willems was akkoord, maar stelde wel voorwaarden: ze moesten lid worden van de Protestantse Kerk, de kleintjes van het Bijbelhuis en de Kerk zou zorgen voor de verzekeringen. Daye en Baba moesten alleen maar een papier ondertekenen. Moeder zou af en toe moeten koken voor de Kerk, en van het weinige geld dat ze kregen moest er maandelijks een gedeelte worden geschonken voor de goede werken die de Kerk deed. Daye deed wat haar gevraagd werd, eerst verbaasd, maar later was ze die mentaliteit, het onchristelijke van die Belgische Christenen gewoon. Bij hen, in Hassana, was het ondenkbaar, dat weldoeners geld vroegen aan mensen die om hulp bedelden. Bij de Assyriërs, daar in de bergen in het Zuid Oosten van Turkije, was iemand belangeloos helpen gewoon een gedeelte van de cultuur en het leven.

Kemal, de beste vriend van Ahmed, woonde ondertussen in een sociale wijk in het Noorden van Antwerpen, een rijtjeshuisje met een gevelbreedte van bijna vijf meter, midden in een Turkse Getto, omringd door Turken, Koerden en oude Belgische mensen. Bijna niemand werkte er, ofwel omdat ze te oud waren, of niet aanvaard werden in de maatschappij. De wijk was een dankbare voedingsbodem voor de ideeën van extreem rechts, maar ook voor extreem links dat het dan weer opnam voor de zogenaamde achtergestelden van de maatschappij. Eén van de moeilijkheden was de verveling bij de inwoners, die op straat leefden. Ze verveelden zich en voelden zich nutteloos omdat ze te veel tijd hadden door niet te werken. Heel waarschijnlijk zouden er de komende jaren weinig van deze wijkbewoners op de arbeidsmarkt terecht komen. Het straatbeeld was allesbehalve fraai. Het was vuil in die straat waar Kemal en zijn familie woonde. Niet alleen was er regelmatig het huisvuil dat opgestapeld was tegen de vervallen gevels, maar ook de beenhouwerij wiens ruiten waren verfraaid met Arabische tekens, produceerde een hoop afval. Vervallen karkassen van runderen of schapen werden gedeponeerd in grijze, gescheurde vuilniszakken en zorgden voor een ondraaglijke stank, en in de zomer voor zwermen vliegen. In die wijk waren er twee Moskeeën, en vijf maal per dag liepen de mannen allen daarheen voor het gebed.

Ahmed had zich altijd afgevraagd waarom zoveel mannen elke dag vijf maal naar de Moskee gingen. Daye had het hem uitgelegd. Ze wees er eerst op dat net zoals bij hen, Christenen, het gebed bij de Moslims belangrijk was. Ze vertelde haar zoon dat het gebed één van de zuilen is van het Islamitische geloof. (Salaat). 'Bij de moslims is het wel anders dan bij ons', zei ze. 'Zij bidden vijf keer per dag namelijk voor zonsopgang, het midden van de dag, de namiddag, de avond en 's nachts.' Ahmed begreep niet goed waarom het zo belangrijk was om vijf keer per dag te bidden. Bij hen, Hasnaye, zou men bidden uit dank of om bescherming te vragen. Bij de moslims was dit anders, en hij vroeg zich af waarom. Daye, het oude besje, dat veel levenservaring had, en in Turkije vele moslims had gekend legde het hem uit. 'Volgens overleveringen krijgt hij die zijn gebeden in een moskee in groepsverband verricht, 25 keer de beloning van een gebed dat hij alleen uitvoert. Met een schoon lichaam, schone kleren en op een schone plek onderwerp je jezelf aan je Heer met toewijding, in herinnering, dank en vragend voor vergiffenis, elke dag opnieuw, bij elk gebed.'

Toen Ahmed volwassener werd, zag hij ook in dat bij die anderen het gebed meer was dan zomaar het uitspreken van woorden. Het geheel was een ritueel, en één maal had hij de kans gezien in een Moskee te kijken wat er gebeurde. Hij had daar als kleine jongen met open mond staan kijken, naar die honderden mannen die bijeen waren gekomen in de grote centrale zaal van de moskee in een dorp in de buurt van Hassana. Overal op de grond lagen dikke handgeknoopte tapijten, en hij zag hoe allen hun schoenen hadden uitgedaan. Aan de immense poort stonden honderden paar sandalen, schoenen en pantoffels, in rijen, van alle mogelijke maten en kleuren. Binnenin was er orde. Er werden verzen uit de Koran geciteerd met bepaalde fysieke bewegingen om je lichaam en geest te zuiveren en om zo gedurende de dag in direct contact te komen met je Schepper, Ontwikkelaar en Ondersteuner. Ahmed begreep dat het gebed je rechtvaardig maakt, in en om je heen.

Maar hij had in Hassana bij de honderden, duizenden Koerden opgemerkt dat er meer was dan die vijf gebeden. Hij herinnerde zich de jaarlijkse feestgebeden, de wekelijkse vrijdaggebeden en de dagelijkse vrijwillige gebeden voor alle volwassen mannen en vrouwen. Ze hadden altijd geleefd tussen de moslims, daar in het verre Turkije.

Nu waren ze vluchtelingen, een volk zonder land, met alleen nog herinneringen en heimwee. In die nieuwe wereld woonden ook Kemal en zijn familie, Christenen in een wijk vol haat en onbegrip, omsingeld door Moslims, verstoten door hun eigen volk, ver weg van de natuur, het boerenleven, de mooie bergen.

Kemal en ik kende elkaar al twintig jaar, zat Ahmed in zijn eigen kleine, afgesloten ruimte te denken, al twintig jaar, van toen we klein waren. We speelden in de bergen rond Hassana, en liepen door de velden. Naar school gingen we als er tijd was, als we vader niet moesten helpen op de te droge akker of in de winkel, en dan nog alleen als het mooi weer was. We genoten van onze vrijheid en kenden alle mensen van het dorp. We waren gelukkig, en hadden nooit begrepen waarom we weg moesten uit ons dorp. Waarom vochten onze vaders niet tegen die indringers? Waarom?

Ahmed dacht aan de Koerdische vrijheidsstrijders die vochten tegen het Turkse leger om een eigen staat te kunnen oprichten. Ze woonden op een slagveld dat niet van hen was. Ze stonden letterlijk tussen twee vuren. Iedereen minachtte hen, de Turkse soldaten omdat die geen begrip hadden voor hun situatie, hun geloof. Maar ook de Koerden die alleen hun eigen belang dienden. Niemand begreep waarom die Christenen klaagden. Ze waren alleen maar lastige getuigen die de wreedheden zagen, de slachtpartijen, het onzinnige geweld. Hun vaders vochten niet, maar baden elke dag tot God opdat dit alles zou stoppen.

Waar was het geluk dat Ahmed had gekend toen hij nog in de bergen woonde, toen hij 's morgens wakker werd van het lawaai in het dorp, van de geiten en de vogels, van zijn vele broers en zussen die met elkaar vochten?

Hij herinnerde zich die tijd heel goed, als een mooie witte wolk die aan de hemel voorbij vliedt. 'Haivan' roept vader naar Fatma die alweer met de melk heeft gemorst. Hij moet glimlachen als hij aan zijn lievelingszusje denkt. Altijd heeft ze voor hem klaar gestaan, dag en nacht, zelfs toen de dag nacht werd en het voor hem altijd nacht zal blijven. Ahmed dacht na over het geluk in Hassana, het geluk in Antwerpen toen hij zijn eerste wagen kocht, een BMW. Hij was de trots van de familie, en nu....

In Turkije was alles anders. Het was er beter. Maar ook daar veranderden de tijden. In Turkije waren bijna geen Christenen meer. In een lang vervlogen tijd hadden de Armeense Christenen barre tijden meegemaakt.
'Wij, Assyrische Christenen zijn ook verdreven.' vertelde Baba zijn kinderen. 'Attatürk heeft wel gezorgd dat Kerk en Staat gescheiden werden, maar toch voel je in alles wat je deed de hete adem van de Islam in je nek.' Vroeger begreep Ahmed het niet zo goed. Hij speelde met de kinderen uit het dorp, en soms kwamen jongens uit andere dorpen naar Hassana. Dan voetbalden ze samen. Dat de ene moslim was, en de andere Christen was van geen tel. Ze waren te jong om zich zorgen te maken over dergelijke dingen.

Maar de tijden veranderden. De jonge, nieuwe generaties moslims, in Antwerpen, of waar ook ter wereld, beleefden hun geloof niet meer zoals hun vaders dit deden. Overal sloop het gif van een Westerse consumptiemaatschappij binnen, en verdwenen de waarden, of werden ze minder belangrijk. Ook bij de Hasnaye was er onrust. De beleving van het geloof kwam niet meer op de eerste plaats. De dominee in de Kerk waarschuwde op zondag dat men niet aan zijn geloof mocht verzaken. Toch waarschuwde hij ook voor toenemend racisme en onbegrip.

In Antwerpen gingen stemmen op om een Islamitisch ziekenhuis te bouwen. Vele Antwerpenaren waren furieus, en zelfs bij de Hasnaye was er onrust. Waarom was dat belangrijk? Zouden zij Christenen weeral in de vergeethoek worden geduwd? Er werden vergaderingen belegd en iedereen wilde inspraak in dit gevoelige debat. Op een avond kwam Daye naar huis, en vertelde ze dat het allemaal niet zo erg was. 'In Belgische ziekenhuizen is geen speciale wasruimte voor moslims. En als hun Belgische medepatiënten zien dat ze in de wasbakken hun voeten wassen, zeggen ze: 'dat is toch niet rein, dat is hygiënisch niet verantwoord, daar moet ik straks mijn gezicht weer in wassen.'

Daye had gezien dat het vooral de oudere generatie was die bleef vasthouden aan oeroude zeden en gewoontes. Ergens begreep ze dat wel, want ook de Assyrische Christenen probeerden te leven volgens de tradities en de waarden die zij al honderden jaren aan elkaar doorgaven. Daarom had ze begrip voor het feit dat moslims een eigen ziekenhuis wilden. 'In een 'gewoon' ziekenhuis hebben moslimmannen van de oudere generatie er moeite mee dat zusters rondlopen van wie je de beha kunt zien. Die man weet niet waar hij kijken moet.'

Maar de invloed van de godsdienst beperkte zich niet alleen tot ziekenhuizen. Meer en meer ervaarde men in Antwerpse scholen de moeilijkheden van diverse religies en culturen. Ahmed, Fatma en de andere kinderen gingen, zoals vele allochtonen, naar het koninklijk Atheneum in de schaduw van het Antwerpse Centraal Station. Deze gemengde school, is nog steeds een smeltkroes van beschavingen, een oneindige verzameling van nationaliteiten, waar Moslims, en Christenen, Turken, Belgen en Marokkanen, vredig naast elkaar leven. Nergens is er een plaats waar elke morgen om half negen, zoveel cultuurgemeenschappen bijeen komen met één gemeenschappelijk doel: studeren. Ahmed ervaarde zelf de moeilijkheden die vele van zijn klasvriendjes hadden. Na het sporten bijvoorbeeld gingen de jongens douchen. De Turkse jongens hebben ritueel en religieus gezien een moslimidentiteit. Die mogen dus hun sportbroekje niet uitdoen om naakt te douchen. Belgische jongeren begonnen aan hun broekje te trekken en het eindigde altijd in een vechtpartij. Dan kwam de sportleraar tussenbeide en als hij hoorde wat er aan de hand was, zei hij tegen de Turkse jongens: ' Ze mogen toch wel een grapje maken?' en ' Daar moet je wel een beetje tolerant in zijn, anders moet je dat maar in je eigen land gaan doen.'

'Het zoontje van acht van Mohamed, een buur van Kemal kwam ook thuis met hetzelfde verhaal. Hij had op school uitgelegd dat hij na het sporten zijn broekje niet wilde uitdoen. 'Als ik dat nou niet wil', zei hij tegen Kemal, 'dan hoeven ze daar toch niet moeilijk over te doen?' Hij ging ook naar die gemengde school in Antwerpen, in de buurt van het Centraal Station. Als hij naar een Islamitische school had gekund, zou zijn vader daarvoor kiezen, maar in de buurt was geen gelegenheid.

Zo kwam er in die dagen meer en meer onbegrip in de Moslimwereld. De jongere generatie, heel veel met een dubbele nationaliteit, begonnen zich nu meer en meer af te zetten tegen het traditionele, tegen de waarden die hun vaders hen met de papfles inlepelden. Overal voelden ze zich onbegrepen, en dat onbegrip leidde vaak tot confrontaties en gebrek aan communicatie. Dat was in tegenstelling tot de Assyrische Christenen, die ondanks de moeilijkheden die ze ondervonden in hun nieuwe vaderland, tot op de dag van vandaag nog vasthouden aan de traditie.

Onlangs, toen zij eens op bezoek kwam in de gevangenis, hoorde Ahmed nog hoe zijn moeder zei dat alleen de criminele Turken naar België kwamen. Hij boog diep het hoofd toen ze dit zei. Daye was hard met haar woorden die striemden, maar ze bedoelde hiermee niet haar eigen vlees en bloed, want Ahmed was en bleef haar oudste zoon, en in feite ook haar lieveling. Ze doelde op die jonge Turkse straatrovers die weeral geklist waren bij een zoveelste inbraak, en de drugdealers die de omgeving van het Stuyvenbergplein onveilig maakten. Geen van hen behoorde tot de Assyrische gemeenschap. Ahmed was trouwens geen Turk, hij was een fier lid van één van de oudste volkeren ter wereld. Hij was ondertussen Belg geworden, had zich nooit een Turk gevoeld, maar altijd een Assyriër, en nu zei zijn moeder zoiets. Hij wist ook wel dat er verschillen waren tussen de beide bevolkingsgroepen, maar toch troffen de woorden hem als mokerslagen en raakten zijn diepste gevoelens. Ahmed was in een harde wereld volwassen geworden, en zag ook dat de westerse wereld waar hij nu in woonde, totaal anders was dan het idyllische bergdorp waar ze jaren geleden waren opgegroeid. Hij had in Antwerpen zelf ervaren dat de mensen die bijvoorbeeld uit Istanbul kwamen, hier anders leefden en reageerden dan in hun moederland, Turkije. Ahmed was zelfs geschrokken van de nieuwe gewoontes van sommige families, wanneer hij ze onverwachts ontmoette in Antwerpen. Hij herkende hen niet meer, en vrienden van vroeger in Hassana, waren nu vreemden geworden. Alles was anders in Antwerpen, de metropool aan de Schelde, het kruitvat van verschillende samenlevingen. In Hassana had je geen slot op de achterdeur nodig, want criminaliteit was er onbekend, en iedereen hielp er iedereen. De kinderen speelden zonder zorgen op straat. Eigendom was er relatief en zeker niet zo belangrijk als in onze westerse maatschappij. Elkaar helpen, iets delen met een ander, was een levenswijze die men hier niet terugvond.

Ahmed herinnerde zich Ayse, een oudere vrouw, die elke morgen bij hen thuis kwam. Soms was ze er al om vijf uur, bij het krieken van de dag. Ze sloop binnen, op de tippen van haar tenen, en zorgde ervoor dat ze de kleintjes niet wakker maakte. Deze lieve bejaarde vrouw met grijze haren en een bochel op haar rug, kwam de tafel dekken en bleef ontbijten. Ze kwam reeds jaren in het kleine huisje en kende haar weg blindelings. Ze was er al, nog voor Ahmed en de andere kinderen opstonden om zich klaar te maken en naar school te gaan. Het leven van een vrouw in Hassana was niet altijd even gemakkelijk. Ze stond als eerste op, en ging als laatste slapen. Vrouwen stonden in voor alles, en waren de coördinators, de architecten die ervoor zorgden dat alles gesmeerd liep, en dat vader en de kinderen zich geen zorgen hoefden maken over wereldse zaken. Daye hielp Ayse het ontbijt klaar te maken. Ze zette verfrissende yoghurt klaar en vers gebakken, nog geurend brood, Pita zoals we het Turkse, platte ronde brood noemen. En er was altijd veel fruit en komkommer en 'çay' of de obligatoire thee op de tafel te vinden. Hoe oud Ayse was wist in feite niemand. Misschien zeventig, misschien tachtig. Dat was ook niet belangrijk, ze zag er ervaren en wijs uit, en de vele diepe rimpels op haar voorhoofd dat zongebrand was, gaven haar een teken van respect mee. Wanneer ze voor het eerst gekomen was, wist ook niemand. Neen, ze was er gewoon en at elke morgen mee aan tafel. Volgens vader Baba was ze verre familie, maar niemand die in feite wist of dit waar was, en daar verder over nadacht. Het was trouwens niet belangrijk. Het enige dat telde was de aanwezigheid van Ayse, dat lieve, oude, bijna tandenloze besje. Als moeder weer eens zwanger was geworden, zorgde het beminnelijke oudje voor de kinderen en zo maakte ze toch een beetje deel uit van een grote familie. Ahmed dacht ook met weemoed terug aan de familie Yaram, de toenmalige leiders van het dorp. In Hassana waren er nooit verkiezingen geweest zoals hier in Antwerpen. Geen schreeuwerige affiches die opriepen tot vreemdelingenhaat door de ene partij, geen bombastische meetings die de mensen werk en geld beloofden door een andere partij. In Hassana was dit alles niet nodig. De verhalen aan de vele vuren leerden de mensen, dat deze familie rechtstreekse afstammelingen waren van Noah, en respect verdienden. Door de eeuwen heen hadden zij, en hun ontelbare nakomelingen, de vele boeren en wevers bijgestaan met raad en daad, en zo groeide het dat zij de natuurlijke en enige echte leiders waren van Hassana.

Een Yaram deed wat van hem werd verwacht. Hij leerde de mensen waarden en de reglementen van het Turkse volk kennen. Maar vooral leerde hij de Hasnaye dat de geboden van God belangrijker waren dan die Turkse wetten en decreten. Ze zorgden ervoor, samen met de vele familiehoofden dat de echte Christelijke waarden overeind bleven staan in een dorp dat letterlijk omsingeld was door moslims. Ze waren de hoeders van de Hasnaye die geen stelling kozen in een reeds jaren durende oorlog tussen Koerden die onafhankelijkheid eisten, en het roemruchte Turkse leger. Geen moeite was een Yaram te veel om iedereen ten dienste te staan. Natuurlijk niet, ze waren toch Assyriërs. Maar toch dacht Ahmed terug aan die verschillen met deze nieuwe wereld waar hij nu in woonde. Hij begreep het allemaal zo goed niet. Die nieuwe wereld, dat land van belofte van toen was eerst zijn geluk geweest, en nu zijn hel geworden.

Toen hij in 1989 aankwam in België was Ahmed blij. Eindelijk zouden hij en zijn familie, en de vele vrienden en hun families die hen gevolgd waren, rust en vrede kennen. Jarenlang had de P.K.K. een bloedige onafhankelijkheidsstrijd gevochten tegen het Turkse leger. Duizenden mensen kwamen om. De P.K.K. (Partiye Karkarèn Kurdistan) ijverde in Turkije voor een onafhankelijke Koerdische staat. Het was in het begin een ideologische groepering geweest die geweldloos verzet pleegde tegen de Turkse regering. Maar het geweldloos verzet was omgeslagen in bloedige terreur, en heroïsche gevechten werden geleverd in en rond de streek van Diyarbakir en aan de Turks Iraakse grens. De Koerden wilden eigen onderwijs, eigen namen, een eigen taal en een eigen cultuur. Ze wilden niet dat men hen Turken noemde, en die bergvolkeren hadden zich verenigd en streden om wat zij hun vrijheid en hun recht noemden. In feite was dit zoals de Baskische strijd in Spanje, of de roep om onafhankelijkheid van het I.R.A. dichter bij ons. Het Turkse leger verwoestte dorpen, en verloor vele manschappen. De P.K.K. onder aanvoering van hun grote leider Abdullah OCALAN gooide bommencampagnes in de strijd. Niet alleen in de bergen werd er gevochten, maar ook in de grote steden als Istanbul en Ankara. Politiekantoren ontploften, mensen werden neergekogeld, en zelfs in Europa ging de strijd verder. Koerdische vluchtelingen in Duitsland en België verenigden zich, en steunden de strijders met ingezamelde gelden tijdens de zogenaamde ‘Kampanya’. Als Koerd moest men betalen of men was een vijand. De oudste zoon moest vechten voor het vaderland, een onafhankelijk Koerdistan. De politieke vluchtelingen in Antwerpen stonden een deel van hun OCMW geld af om hun broeders in het Oosten van Turkije te steunen. Ze kregen hier steun van linkse organisaties, maar de meeste Vlamingen bleven onverschillig bij zoveel zinloos geweld. Het was immers de ver van mijn bed show.

Baba, de vader van Ahmed had in die tijd altijd gezegd, 'Jongen, jij bent anders, jij bent een Assyriër, vergeet dit nooit. Wie om hulp vraagt, zal je hulp geven, ongeacht wie het is of wat hij doet. Maar vergeet vooral niet te leven zoals God het wil.' Hij had gezien hoe mensen die zich P.K.K. strijders noemden zich vergrepen aan hun vrouwen, winkels plunderden en een dorp in de buurt bezetten. Toen kwam het Turkse leger en werden ze zowaar verdreven uit hun eigen dorpen. Nooit hadden de Assyriërs zich gemoeid in de strijd, maar toch werden ze tenslotte ook verjaagd.

De Hasnaye werd een zwervend volk, een vergeten volk datslachtoffer was van een bloedige oorlog. Toen Abdullah OCALAN, de Koerdische rebellenleider, enkele jaren geleden werd aangehouden hoopte Ahmed nog dat hij zou mogen terugkeren naar het mooie Hassana, maar daar kwam niets van. Hij moest en zou in België blijven. Hij hoopte tenslotte in Antwerpen een nieuwe 'thuis' te vinden, ver weg van alle miserie en oorlog. Samen met hem waren enkele duizenden Assyriërs neergestreken in België. Ze verbleven voornamelijk in de streek rond Antwerpen en Mechelen. Ze hadden verwanten over gans Europa en in Canada. Zij die niet zo ver waren geraakt, bleven in Turkije, dicht bij Europa. Naar zijn tante die nog in Istanbul leefde, schreef Ahmed lange brieven. Hij vertelde haar niets over de criminaliteit in de stad. Hij liet haar evenmin iets weten over het feit dat in zijn wijk praktisch uitsluitend moslims woonden, en dat zijn kinderen weer moesten vluchten. Hij vertelde niet dat ze Belg waren geworden, maar niet als Belgen werden aanvaard in Antwerpen. Hij verdoezelde dat het bijna altijd regende, dat hij een alarm nodig had om zijn auto te beveiligen, dat men al twee maal had ingebroken bij hem thuis. Neen, in die lange brieven mijmerde hij over de bergen van Hassana, over de Christelijke waarden, over God. Hij vertelde over de voorspoed, het geld dat ze nu hadden en over het feit dat hij werk had gevonden, hij samen met Kemal. Deze jonge Assyrische boerenzoon uit Hassana was zijn vriend, zijn beste vriend. Niets zou hen kunnen scheiden. Ooit zei Ahmed eens tegen zijn bloedbroeder dat alleen de dood hen zou kunnen scheiden. Hij zou pas later beseffen hoe werkelijk deze onheilsprofetie zou zijn, hoe, zonder hij het wilde zijn woorden zouden worden aanhoord.

En met de hulp van God werd het 1999, en Kemal en Ahmed werkten in een bouwbedrijf in Antwerpen, in de Seefhoek. Beiden waren op dat ogenblik 29 jaar geworden. Omdat Ahmed perfect Nederlands had leren schrijven en spreken was hij zelfs ploegbaas geworden. Nu kon hij het rustiger aandoen, maar tot zijn verbazing zag Bob, de aannemer, dat Ahmed alleen maar harder en harder begon te werken. 'Dat hoort zo," zei deze, 'alleen zo kan ik bewijzen tegenover u dat ik het vertrouwen waard ben. Ik wil bewijzen tegenover al diegenen die spotten, dat ik geen vuile Turk ben maar Ahmed, een harde werker.' Hij klaagde nooit, en kreeg zelfs Belgische vrienden.

Eén van hen was Gaston, een Vlaams Blokker die met elke verkiezing paraat stond om de partij te helpen. Gaston was elf jaar ouder, en veel wijzer dan hijzelf, zo dacht Ahmed toch. Als arbeiderszoon verdiende hij zelf zijn brood voor vrouw en kinderen, door elke dag hard te werken. Hij was bij toeval lid geworden van het Vlaams Blok. Het was in Antwerpen een partij die opgang maakte. Door velen werd de partij aanbeden, door anderen werd ze verafschuwd. Eigenlijk begreep Gaston, als zoon van een socialistische vader, zelf niet waarom hij precies lid was geworden. Ergens was het zo dat hij Vlaamse roots had, en met de jaren was die zoektocht naar een eigen identiteit belangrijk geworden. De zoektocht was een obsessie, een zucht van verlangen naar zijn waarheid.

Gaston kon zich echt opwinden als weer eens op de televisie de nieuwslezer van dienst het Vlaming-zijn associeerde met racisme en onverdraagzaamheid. Meer dan eens sprak hij er Ahmed over aan: 'Moet een echte Vlaming wonen in een hoeve van het langgeveltype, spreken in zijn Keltisch – Frankisch dialect en aan elke voorbijganger goen-dag zeggen? Moet hij mastklimmen en zaklopen? Of springen en schreeuwen rond het Sint Pietersvuur?'

Hij wist dat zijn Vlaamse gedachtengoed hem gedreven had naar de enige partij die er voor wilde vechten. Gaston had net zoals vele anderen de partijboekjes en geschriften gelezen. Sommige zaken deden hem huiveren, en was hij zelfs niet mee akkoord. Voor hem hoefde het Koningshuis niet te worden afgeschaft. En evenmin moesten alle vreemdelingen opkrassen uit zijn Antwerpen. Wel was hij akkoord dat de criminaliteit aan banden moest worden gelegd. Gaston was militant geworden, nadat hij één van de vele congressen had bijgewoond. Daar raakte hij onder de indruk van de charismatische uitstraling van Filip De Winter, die, wat hem betrof, zei wat iedereen dacht. Vroeger was Gaston zelfs naar de IJzerbedevaart in Diksmuide geweest. Voor hem was het de plaats waar, over filosofische en partijpolitieke grenzen heen, alle Vlamingen zich samen konden vinden in de eisen van de Frontbeweging. Hij schaarde zich achter de Leeuwenvlag, maar alleen als Vlaming, niet als onruststoker of als oproerkraaier. Maar bestond de Vlaming nog wel? Was het niet de grote schrijver Stijn Streuvels zelf die reeds de teloorgang van het Vlaamse leven vaststelde?

's Avonds mijmerde hij soms over de tijd dat de Vlamingen meester waren in eigen land, en kon hij uren lezen in de geschriften van de vele Vlaamse meesters. '... Sedert de landman veel geld verdient, heeft hij zijn ongedongenheid verloren...' was één van zijn lievelingszinnen, en ondanks zijn afkomst uit een arbeidersgezin, wist hij maar al te goed hoe die auteurs jaren geleden hadden gedacht.

Gaston kende zijn schrijvers. Eén van de prachtigste citaten was volgens hem persoonlijk dat van Marnix Gijsen die de Brabantse boer beschreef.

'...zware grond, zware paarden, zware boeren, zware beurzen. Brabanders zijn mannen met een kop op de schouders, armen aan het lijf, adem in de borst, een stalen hart en een maag van de beste...'

Gaston vergeleek zichzelf graag met die fiere Brabantse boer die zonder kommer of kwel leefde op zijn uitgestrekte landgoed, en moeder aarde bewerkte dat het en lust was. Hij hoorde wel cijfers dat de immigratie als wapen tegen de Vlamingen zou worden gebruikt, zoals het feit dat 52.000 illegalen een regularisatieaanvraag hadden ingediend. Maar Gaston voelde zich als Vlaming niet bedreigd. In 1302 hadden ze de Franse ridders verslagen in de Guldensporenslag bij Kortrijk. Duizenden soldaten, arbeiders in feite van verschillende ambachten hadden zich verenigd en het roemruchtste leger ter wereld in de pan gehakt. Waarom zou Gaston schrik hebben? Integendeel, de fiere Sinjorenstad had iets romantisch met zijn multiculturele samenleving.

Gaston was een Vlaming, zelfs een militante Vlaams Blokker, maar geen vreemdelingenhater, en hij begreep maar al te goed wat de problemen konden zijn wanneer men als jonge knaap zoals Ahmed uit zijn vaderland werd weggejaagd. Daarom kon Gaston ook goed met hem opschieten, want ergens voelde hij zich een zielsverwant. Assyriërs die verdreven werden uit hun geboortedorp ergens in Turkije, Antwerpenaren die hun huis verlieten in Borgerhout, de Bronx van Antwerpen genoemd. Gaston begreep echter ook dat niet het Vlaams Blok alleen de oplossing zou bieden, met hun gespierde taalgebruik, en soms opruiende taal, maar dat er gezocht moest worden naar een gulden middenweg. Maar als signaal mocht de partij er wel zijn.

'Joeng' zei Gaston op een dag 'Gij zijt genen Turk. Gij zijt nen echte Vlaming, nen noeste werker. Moesten ze allemaal zijn zoals gij, dan waren er geen problemen, en dan moesten wij er niet zijn. Waarom kunnen al die gasten zich nu niet voegen en doen zoals gij doet?' Ahmed dacht erover na, en vond het ook wel vreemd dat er verschillende jongeren van achttien of negentien jaar oud waren die alleen maar lusteloos rondreden in hun wagen, en nooit werkten. Wat deden hun vaders dan? Moesten die niet met harde hand zorgen dat hun zonen het voorbeeld werden voor hun zonen, en die voor hun zonen? Waarom hingen ze rond op straat? Moesten ze hun moeders niet helpen sjouwen als ze van de Aldi kwam? Ahmed begreep het niet. In zijn ogen had Gaston misschien zelfs een beetje gelijk. Als je ergens te gast bent, dan moet je de regels volgen. De regels van God volgde hij overal, de regels van zijn werkgever ook, en eigenlijk alle regels die in België bestonden. Ahmed vroeg zich zelfs af of die 'Blokkers' nu zo slecht waren als men tijdens toespraken in de Protestantse Kerk wilde laten geloven. Neen, mensen die waarden als 'gezin' en 'geboorte' hoog in het vaandel droegen, waren toch niet slecht. Akkoord, hun standpunt over vreemdelingen zinde hem niet, maar was hij dan nog een vreemdeling als hij zich aanpaste? Hij dacht toen aan de woorden van Gaston die hem dikwijls had gezegd dat hij 'anders was dan die anderen'. Hij wist het niet zo goed, en liet dan altijd het onderwerp rusten. Het sprak voor hem vanzelf dat iedereen zijn best deed, en extreme meningen zoals in Turkije met de Koerden hadden hem en zijn familie een huis, een land, zelfs vele vrienden gekost.

In België, meer bepaald in Antwerpen leefde gelukkig nu ook zijn beste vriend, Kemal. Tegen hem zei hij 'broertje'. Als ze 'Haivan' riepen naar elkaar, wat in feite een belediging was, dan was dat bedoeld als grap. 'Haivan' betekende immers 'beest, diersoort', en was een grove belediging, maar deze twee snaken bedoelden het niet slecht, en gebruikten het woord als een vorm van spot. Net zoals in hun geboortedorp waren ze meestal blijgezind, hun vriendschapsband was trouwens gegroeid naarmate de jaren vorderden. Toch was Antwerpen niet Hassana.

Kemal was wel iets anders geworden. Het was niet meer dezelfde vriend die Ahmed kende van in Turkije. Er waren ondertussen jaren verstreken, en beiden waren rijper, volwassener geworden. Toch had Ahmed soms de indruk dat de familie van Kemal niet meer zo vroom leefde als toen, en zeker niet meer volgens de waarden en normen die hen in het verleden waren opgelegd. Er waren vele verschillen merkbaar geworden, en langzaam groeide er een kloof tussen de twee gezinnen. Deze jonge Christen, zijn kameraad, was in België gekomen, en pas na lang aandringen van Ahmed was Kemal ook beginnen werken. Dat was al vreemd, want normaal moest de man toch zorgen voor brood en kaas op de plank, moest hij bewijzen tegenover zijn ouders dat hij iets waard was, dat hij het leven aankon. Het was belangrijk dat de gemeenschap zag dat je niet profiteerde maar hielp iets op te bouwen. Maar hier in Antwerpen was Kemal beetje bij beetje veranderd. Ahmed begreep het niet zo goed: was dit nu door de invloed van de westerse cultuur, was de reden te zoeken in het geld dat zo gemakkelijk binnenstroomde?

Akkoord, Kemal had als eerste een woning gehad, en als eerste was hij beginnen werken, maar soms was hij toch te lui en verliet hij zonder reden de werf. Hij had ervaren dat er in België toch sociale uitkeringen bestonden, en durfde al eens enkele maanden slabakken en niets doen. Maar Ahmed monterde zijn vriend telkens opnieuw op, en meer en meer begonnen ze weer met elkaar op te trekken. Negen maanden voordien had Ahmed ervoor gezorgd dat Kemal bij hem in de firma kon komen werken, voor een goed loon. En aangezien hij zelf ploegbaas was, kon hij eens een oogje dichtknijpen als Kemal op maandagmorgen weer te laat kwam. Ook Bob, de zaakvoerder, zei er niets van, want hij wist dat Ahmed voor twee werkte, en de schade wel zou inhalen.

En zo groeiden de twee jonge mannen verder op in België, duizenden kilometers weg van de bergen waar ze gewoond hadden, in een vreemd land, met een vreemde taal, een vreemde cultuur. Wat ze hier wel zagen, waren kerken. Maar de mensen waren vreemd. In elk dorp, op elke hoek van de straat zag je een kapel, een kerk, een Mariabeeld, en toch leefde men als zondaars. Meisjes rookten sigaretten, mannen zochten het gezelschap op van andere vrouwen, er werd gevochten, gestolen, gemoord. Men loog tegen elkaar. Was dit nu het beloofde land waar ze naar gevlucht waren? Was dit nu zoveel beter dan die gevechten op straat, die oorlog waarvoor ze gevlucht waren, het elke dag doodmoe naar bed gaan van het zware werk op het veld of van het geitenhoeden? Was dit het beloofde paradijs, of was het een zoveelste beproeving die hen in de toekomst alleen maar sterker zou maken?

## Baba de vader

Hij was geboren in Hassana in 1943. Niemand wist wanneer precies. Daye, zijn vrouw, geboren als OLCAS Kebani, zei altijd 'ergens in de lente' en bij de dienst vreemdelingenzaken te Brussel had men er dan maar één maart van gemaakt. Baba was de oudste van zeven zonen, en huwde zoals het hoorde voor een echte Assyrische man, met Kebani, eveneens een meisje uit het dorp, en in werkelijkheid de jongste dochter van zijn oom. Hij was twintig en zij net zeventien, en samen bouwden ze een huisje, een toekomst in Hassana. Baba had een kruidenierszaakje en verdiende relatief veel geld. Mensen uit de streek, vrienden en familie brachten kaas en ruilden die voor peperbollen, ze brachten melk en kregen dekens. Zij die niet ruilden, betaalden de goederen, of lieten alles op een rekening zetten. Sommigen betaalden nooit, anderen werkten gratis om hun schulden te kunnen betalen. Het huisje met een lemen dak, vol spleten in de muren waarin ze woonden, daar in Hassana, bestond uit één slaapkamer voor de vele kinderen, en één slaapkamer voor de ouders, Baba en Kebani. Centraal was er één grote ruimte die diende om te koken, te eten, te praten, te spelen en gelukkig te zijn. Het was tevens de plaats waar gezamenlijk gebeden werd tot God en zich veilig en geborgen voelde. Naast het huisje dat was opgetrokken van ruwe stenen en vuile mortel was er een grote open plaats waar Daye samen met de andere vrouwen van het dorp de was deed, dicht bij de aangeboorde put. Volgens een systeem, een rollenspel dat nergens beschreven stond, haalden de jongste vrouwen honderden liters water uit de bodemloze put van moeder aarde, hen geschonken door God, en bron van al het goede dat ze kenden.

Aan de andere zijde van het kleine huisje was er een overdekte schuur, met vele spleten en gaten, en enkele dakpannen die ontbraken, een schuur die dienst deed als winkel. Daar stelde Baba zijn waren uit, zijn groenten en fruit, de kaas uit de bergen, de specerijen, de lamswollen geweven tapijten, maar eveneens de geblutste potten en pannen, naast het fijne linnen. Aangezien er in Hassana niet werd gestolen, want dat druiste in tegen het gebod van God, was het niet nodig om een slot op de deur aan te brengen. De deur werd alleen dicht gedaan om 's nachts de hongerige katten en zwerfhonden uit de buurt te houden van de etenswaren. Daye en de andere vrouwen uit de buurt stonden 's morgens om vijf uur op, en bakten tientallen platte, ronde Turkse broden, voor de ouderen die door de stramheid in hun ledematen, het deeg zelf niet meer konden kneden. Baba had een belangrijk spreekwoord, een levenswijze die hij aan zijn kinderen verkondigde: 'Her işin başı sağlık'. (gezondheid is belangrijker dan rijkdom). Hij leerde zijn kinderen de echte waarden van het leven kennen.

Baba, dat was 1,90 meter grote Turkse kolos, met handen als kolenschoppen, een hart van goud, een werker die geloofde in God en diens schepping. Hij regeerde met harde hand over de familie en zorgde dat hen niets tekort kwam. Hij was de herder, de leider, de patriarch en het leven, altijd als een rots in de branding, een middeleeuwse ridder, vechtend tegen kwaad, het woord Gods hoog in het banier. Hij verdedigde zijn familie tegen de invloeden van het Kwaad, en wist dat God hem ooit hiervoor zou belonen. Baba, standvastig als een blok graniet, sterk als een paard, had ook een gouden hart, dat week werd bij het zien van spelende kinderen, een hart dat open stond voor al het goede van moeder natuur, de wereld, de bergen, het oneindige. Op zijn berg was hij als Mozes en regeerde hij over zijn eigen kleine Koninkrijk, samen met Kebani, lieflijk Daye of moeder, genoemd door de oudsten en de jongsten.

**Daye**

'Daye', de moeder van de familie was een heldere vrouw, wijs en met lange grijze haren. Ze was in Hassana met haar eerste liefde gehuwd, met Azo, die eerbiedig 'Baba' (wat vader of wijze man betekent) werd genoemd. Daye had vele kinderen gebaard en was de eerste geweest die de beslissing nam om Hassana te verlaten. Voor het welzijn van haar kinderen zou ze alles doen wat in haar macht lag. Zo was zij de stuwende kracht geweest tijdens de vlucht uit het verre Turkije naar Antwerpen. Zij zag nu dat het goed was voor de toekomst van de kinderen dat ze in Antwerpen waren, want hier konden ze studeren en werken en later rijk worden. Er moesten geen geiten meer verzorgd worden, de oogst moest niet meer van de velden worden gehaald, en een onweer maakte niets meer kapot. Akkoord, ze leefden nu in de Kerkstraat in een veel te klein appartement met zeven volwassenen.

De huisbaas was een Marokkaan en ze dacht dat die misschien te vertrouwen was, want hij was toch ook een 'vreemde' net als hen. Maar dat was niet zo. Het enige dat die man interesseerde was het geld aan het einde van de maand. Fatma, de tweede dochter van Baba en Daye, en het liefste zusje van Ahmed, was al langs de huurdersbond geweest, maar die hadden weeral eens geen tijd. Ja, ze vroegen zelfs of ze wel legaal in België verbleven. Fatma was razend toen ze dit hoorde, en thuis gooide ze enkele borden stuk om zich af te reageren. De kerk wilde wel helpen, zeiden ze, maar er waren zoveel parochianen, en misschien was het beter dat ze alles maar zo lieten. En de man van de verzekeringen hield ook zijn woord niet, toen ze een lek hadden. Waarom moesten ze betalen als hij toch niets voor hen deed? Daye had het moeilijk met die oneerlijkheid in de wereld, maar toch voedde ze haar kinderen verder op als echte Christenen. De echte waarden waren thuis te vinden. De familie kwam altijd op de eerste plaats, daarna de vrienden, de buren, de gasten, de anderen. 'Ik' bestond niet, alles werd gedeeld. Daye zag dat het toch goed was, want iedereen groeide op en er was eten genoeg. Elke nieuwe dag, bij het avondmaal dankten ze God voor zijn gaven. Ja, God is groot. Daye slaagde erin zich volledig weg te cijferen in dienst van het gezin. Iedereen keek naar haar op. Een kranige vrouw was het, die al jaren maximaal vier uur per nacht sliep. Maar ze klaagde niet. Elke dag bakte ze zelf brood, zoals in Hassana. En als Daye de lekkere Assyrische pizza klaarmaakte, dan kwam iedereen speciaal vroeger thuis en was het feest. Want niemand kon zulke lekkere pizza's maken als Daye. Iedereen smulde er bergen, en Fatma die wilde er

zelfs mayonaise bij. Ze lachten en dansten en zongen, het was een mooie tijd.
Ahmed dacht verder na, in zijn koude, kille, grauwe cel, opgesloten ver van de buitenwereld. Hij vroeg zich af hoe het ooit allemaal zover was kunnen komen. Straks zou hij weer naar huis bellen, naar Fatma, naar Daye, en zo weer een beetje zon in zijn leven krijgen. Hij zag uit naar het straaltje hoop dat door de grauwe betonnen muren zou komen, in de vorm van de stem van een engel, Fatma. Straks zou hij in de grauwe nacht, liggend op het ijzeren ledikant, met alleen een spin als gezelschap, denken aan die mooie stem van zijn lievelingszus. Haar lach zou galmen in de cel, maar alleen hij zou die horen. Ahmed keerde in gedachten terug naar het leven in de Kerkstraat in Antwerpen.

Hij woonde nog samen met Daye, Nezir, Fatma, Ilhan en de anderen in de Kerkstraat te Antwerpen, toen hij een meisje leerde kennen. Nou ja, leren kennen. Ze heette Huzeya en was enkele jaren jonger dan hij. Haar vader was in feite een ver familielid van Daye, en in Assyrië hadden ze bij elkaar in de buurt gewoond. Ze waren samen opgegroeid, maar hadden elkaar uit het oog verloren door die oorlog en de vlucht naar België. Huzeya had donkere ogen, als karbonkels zo groot, en gitzwarte lange haren. Ze was net als haar moeder een prinses in de keuken geworden, en was samen met haar familie eveneens gevlucht vanuit een dorpje in de buurt van Hassana. Na vele omzwervingen had ze Brussel en toen Antwerpen bereikt. Ze woonde nu in Mechelen bij haar familie, die haar zo dierbaar was, en was een nichtje van Kemal.

Ahmed zou nooit weten of hij nu verliefd op haar was geworden of niet. Hadden ze elkaar toevallig ontmoet, of was alles geregeld door Baba, zoals hij in Turkije ook deed? Maar die Kerstmis, vijf jaar geleden, verloofden ze zich officieel en er was een groot feest. Wat Ahmed niet begreep was de opmerking van Gaston 'dat hij nu wel eens het poesje in het donker kon knijpen'. Het was ongehoord om tijdens de verloving, nog voor gehuwd te zijn, ook intiem te zijn. Dat hoorde nu eenmaal niet, en Ahmed was van plan zich daaraan te houden. Kemal was het jaar ervoor getrouwd met een meisje uit de streek rond Diyarbakir, dat eveneens naar Antwerpen was gevlucht, maar hij was anders geworden. Hij schepte er tegen zijn vriend veel over op dat hij soms in Brussel ging spelen met een vriendinnetje, een Marokkaanse schoonheid geboren in Taza, die hij per toeval had leren kennen. Ahmed keurde het niet goed, maar de jonge bergbewoner was zijn vriend, en vrienden helpen elkaar nu eenmaal. Zo gebeurde het dat Ahmed meeging naar Brussel en daar uren in een café zat te wachten op Kemal, die later kwam. Hij was eerst nog op 'bezoek' geweest bij een schoolkameraad zei hij, en hij lachte, met sterretjes in zijn ogen. Maar Ahmed moest vooral beloven niets aan Huzeya te vertellen, want zij had een scherpe tong, en dat kon alleen maar kwaad doen en geen goed. Ahmed zweeg tegen Huzeya, want als zij het vertelde aan de vader van Kemal, en die aan zijn broer, dan zouden de poppen aan het dansen gaan. Ahmed beschermde aldus zijn vriend. Ja, het waren mooie tijden in die dagen, overdag werkend als slaven in Antwerpen, in het weekend soms de straten afschuimend in Brussel als twee jonge feestvarkens.

Maar toch had Ahmed wroeging als hij terugkwam van zo'n bezoekje in Brussel. Hij nestelde zich lusteloos in de zetel, en als iedereen gaan slapen was, vertelde hij Daye wat hij die dag had gehoord en gezien. Hij was niet akkoord met het gedrag van Kemal, en vroeg zich af wat ze er konden aan doen. Op zulke momenten was het alsof ze weer in Hassana waren. Daye luisterde naar haar oudste zoon en vertelde hem dan verhalen uit de Bijbel. Ze toonde hem de weg, en telkens opnieuw moest hij horen dat hij een voorbeeld was voor zijn jongere broertjes en zussen. Het was moeilijk, maar hij moest volhouden.

Kemal had vertrouwen in hem, en had hem opgezadeld met een geheim. Tegelijkertijd werd van Ahmed, als beste vriend, verwacht dat hij hem terug op het rechte pad zou brengen. Kemal deed zaken die niet mochten van de Bijbel. Daye begreep het verdriet van haar zoon, en zei dat ze de andere dag met Yaram ging praten. Zij waren toch de dorpsoudsten en wisten heel veel, en zij zouden zelfs in dit Antwerpen iedereen kunnen helpen. Ahmed was tevreden, hij had zijn moeder verteld wat hij wist en, wijs als ze was, zou ze hem een antwoord geven. Hij was blij en fier op haar. Niemand zou haar ooit kunnen vervangen, ook Huzeya niet. Tijdens dergelijke momenten was Ahmed nog zoals een klein kind, dat op de schoot van zijn moeder wilde zitten, was hij de hulpeloze jongen die bescherming zocht in de stal, toen de P.K.K. het dorp aanviel. Op dergelijke intieme momenten was hij niet de beschermer van de familie, maar op zoek naar steun, omdat hij worstelde met zijn gevoelens, en niet de speelbal wilde worden tussen goed en kwaad.

Ahmed dankte God elke dag opnieuw voor zijn familie, voor hetgeen Daye deed. Samen deelden ze een zwaar leed dat al jaren hun leven beheerste. In die laatste dagen in Hassana was er een ongeluk gebeurd. Rachida, het jongere zusje, was niet meer teruggekomen van een bergwandeling. Twee dagen later vonden de herders haar terug, levenloos, gevallen in een ravijn. Vanaf die dag was Baba anders geworden. Hij was niet meer de fiere patriarch die dag en nacht wroette voor vrouw en kinderen. Neen, hij was anders geworden. Die dag brak zijn hart. 's Avonds bij zonsondergang maakte hij grote wandelingen. Hij keek naar de donkere lucht, en zag tussen de fonkelende sterren Rachida. Voor hem was ze niet weg, voor de familie zou ze er altijd zijn.

Maar dit immense verdriet maakte Baba anders dan anders. Hij moest zijn dochter begraven, hij moest zijn geboorteland verlaten. Hij kwam in het mondaine Antwerpen, en zag met zijn ogen het Kwaad. Waarom zaten die meisjes achter het raam? Waarom werkten de mannen niet? En langzaam maar zeker was ook Baba in die poel des verderfs gegleden. Regelmatig was Daye 's avonds bang als hij thuiskwam. Want hij was weeral blut, had al zijn geld verspeeld in die glanzende casino's op het De Coninckplein. En Baba werd dan kwaad en eiste weer geld. Geen geld betekende klappen, geen geld betekende ook geen eten. Elke dag opnieuw was het een strijd om te overleven.

Maar gelukkig was Ahmed er, die lieve jongen, die zijn best deed en Daye af en toe iets toestopte. Of de broers en zussen meenam naar de Sinksenfoor, de bowling of de schaatsbaan. Zo kenden ze ook hun geluk, daar in de Kerkstraat te Antwerpen. Ondanks al hun lijden, ondanks het immense verdriet, ondanks alle tegenslagen, ondanks het feit dat ze hun geboorteland kwijt waren, voorgoed. Toch dankten ze elke dag opnieuw God. Dank voor alle goede dingen die hen overkwamen in dat verre vreemde land. Dank voor het feit dat ze konden studeren, dat ze verder konden werken, en ja, toen in die periode, ook dank voor Huzeya. Zij was in hun leven gekomen, niet geheel onverwacht, ze werd een deel van hun leven. Samen met Ahmed zou ze iets opbouwen dat lang geleden in Hassana verbroken was. Samen zouden ze een nieuw tijdperk inluiden, een nieuw begin. Ze zouden feesten, voor het eerst in jaren. Er zouden kinderen zijn, en Baba, gezeten op zijn troon, zijn keukenstoel, zou teder lachen naar Daye en zien dat het goed was. Ze zouden weer denken aan die roemrijke feesten in de bergen die drie dagen en drie nachten duurden. Ze zouden werken tot ze er bij neervielen, maar voor hun Ahmed was niets te veel. Ze zouden niet iemand verliezen, maar een nieuw schaap in de kudde welkom heten. Dat nieuwe schaap zou gehoed worden door hun zoon en zou Huzeya heten. Ze zouden dank zeggen aan God, en een nieuw leven beginnen. Langzaam klaarden de donkere wolken op aan de hemel en zagen ze het nieuwe leven met vreugde tegemoet.

## Huzeya

Ahmed wiste weer een traan, gezeten op een bed dat het zijne niet was, in een kille cel in Leuven Centraal. Hij dacht na over hoe hij en zijn geliefde alles hadden voorbereid voor het nakende huwelijk. Zijn gedachten dwaalden weer naar de Assyrische bergen en dalen, het Assyrische volk, zijn verbondenheid ermee, hoe hij Huzeya reeds jaren kende, reeds vele jaren voor ze één werden. Hij herinnerde zich een gezegde van zijn grootvader: 'de liefde van de ouders is zo groot, en toch vaak zo geborgen'. Hij wist dat zijn liefde voor Huzeya nooit zo groot kon zijn als de gevoelens van Baba en Daye. Hij herinnerde zich zijn moeder, Daye, als een rots in de branding, en hoopte stil dat Huzeya ook een goede 'Daye' zou zijn voor de kinderen.

Hij was elf, en zij acht, toen ze elkaar voor het eerst ontmoetten, in 1986, in Hassana bij een trouwfeest. Huzeya was in feite verre familie van hem, maar eveneens van zijn beste vriend Kemal. Ze woonde met haar ouders in Diyarbakir, maar kwam regelmatig op bezoek bij familie, één dorp verder. Er werd gefluisterd in het dorp dat haar vader soms in Istanbul naar andere vrouwen ging, als hij op reis was voor zaken, en dat veroorzaakte veel deining.

'Gij zult andermans vrouw niet begeren' was toch een gebod van God?

Maar in al zijn onschuld was Ahmed nog zorgeloos, en Huzeya ook. Van dat trouwfeest van toen herinnerde hij zich niet veel meer, alleen dat hij voor de eerste maal alcohol gedronken had. Opa had hem geroepen en hij mocht bij de 'mannen' aan tafel zitten. Hij kreeg een slokje 'Raki' en spuugde het vocht uit na de eerste slok. Zijn hoofd werd vuurrood en hij verslikte zich. Een gebulder steeg op uit de vele kelen, en Ahmed wist niet waarom. Was dat zo plezierig?

Het was een plezante tijd daar in de bergen. Huzeya speelde met Fatma, Birsen, Bilo, Sevim, Ilhan en nog andere kinderen uit de buurt. Wat ze speelden was in zijn geheugen vervaagd, en het was in feite niet belangrijk, hij herinnerde zich wel dat ze zich hadden geamuseerd. Op dergelijke trouwfeesten, die wel drie dagen en nachten duurden, werd iedereen in het dorp uitgenodigd. De welstand van de bruidegom en zijn familie werd gemeten aan de grootte van het feest. Dag en nacht was er zang en dans, wijn, lahmacun, pita, pizza, lamsvlees en geroosterde vis, maar tevens manden vol vers fruit en kommen met groenten, sla en tomaten, alles pikant bereid. De lahmacun of opgerolde Turkse pizza, leek in tegenstelling tot de gewone pizza meer op de Mexicaanse tortilla's. Ze waren heel dun belegd, licht gebakken en gevuld met knapperige rauwe kool.

De vrouwen kookten en wasten, en plasten, en wisselden onderling recepten uit. De vaders genoten ervan, tijdens het feest, om naar hun kroost te kijken en commentaar te geven op hun vrouwen. Toch bleef alles sereen, zoals iedereen het gewild zou hebben. Tijdens die feesten werden huwelijken geregeld, zelfs nu, in de twintigste eeuw nog. Ogenschijnlijk was dat niet het geval, en mocht iedereen trouwen met wie hij wilde. Maar toch keek Baba er streng op toe dat de bruid gekozen werd uit het dorp of dat haar familie een relatie had met Hassana. Boven alles moest ze maagd zijn, en vooral het feit dat de familie allemaal goede Christenen waren, telde mee. Soms was er een bruid of bruidegom die brak met de traditie, en het dorp verliet om, in duivelse steden zoals Ankara of Istanbul, zich over te leveren aan de geneugtes van de wereld. Maar het waren en bleven uitzonderingen. Er werd geregeerd met ijzeren hand, en Baba en Daye zorgden dat alles verliep zoals het moest verlopen. Wij zullen het nooit weten, Ahmed ook niet, maar misschien werd zijn huwelijk toen, die avond in de bergen, al bezegeld, misschien was die lange handdruk tussen de twee stamvaders, in het bijzijn van de oude Yaram, een soort huwelijkscontract. Misschien waren er nog Ahmed's of Huzeya's die op zo een avond met elkaar werden verbonden, we zullen het nooit weten. Gods wegen zijn ondoorgrondelijk, die van Baba ook.

Het huwelijksfeest zelf, daar in het Zuid Oosten van Turkije, was hemels. Een zeventienjarig nichtje was gehuwd in prachtige witte gewaden, met de sluier van haar grootmoeder. Ahmed keek, zoals een elfjarige kon kijken, verbaasd en met open mond, niet goed begrijpend wat er allemaal gebeurde. En waarom weenden vele vrouwen, vroeg hij zich af, het was toch feest? Na drie dagen en nachten keerde iedereen terug naar huis, en het leven ging zijn gewone gang.

En Ahmed en Huzeya groeiden verder op. Ze gingen naar school. Twee tot drie maal per week, als het werk op het veld dit toeliet, vertrokken ze 's morgens al om zes uur, voor een ware voettocht naar een kleine dorpsschool die slechts twee klassen telde. Het onderwijs was voornamelijk godsdienstonderricht, de geschiedenis van de Assyriërs, gebracht door oude leraren die veel wegdroomden tijdens hun ellenlange verhalen. Soms, als er veel oogst was, of het weer was slecht, gingen ze niet naar school. De lange wandeling naar die vervallen dorpsschool elke dag, was geen marteling voor de jonge kinderen, maar eerder een soort steeds wederkerende familie-uitstap. Ahmed, Fatma, Kemal, Huzeya, allen vergezeld van jongere broers en zusjes, soms met zijn tienen, stapten over de wegen bezaaid met keien. Allen hadden een balpen, een versleten schrift en een zakje met fruit en pita, het ronde Turkse brood dat Daye die morgen had gebakken. Maar er waren geen schoolboeken die moesten worden meegesleurd in onhandige boekentassen, want die bleven op school. Dat was normaal, want in feite waren er veel te weinig boeken, en soms lazen ze met vier of vijf uit één boek. Onderweg naar school, langs de velden en over stoffige paden vol putten en puntige stenen, werd er toch gelachen, gespeeld, soms gevochten tussen de jongens, maar altijd waren ze blij als ze bij de schoolpoort kwamen.

Huzeya en Ahmed keken in die periode niet naar elkaar om. Ze kenden elkaar, maar waren geen vrienden, geen 'echte' vrienden die alles voor elkaar zouden doen. Dat was volgens de traditie logisch te verklaren, want het hoorde niet dat men toenadering zocht met iemand van het andere geslacht. Neen, jongens speelden met jongens en meisjes met meisjes, het was uit den boze dat een meisje zou voetballen of zo. Zou men Ahmed vragen of hij toen reeds gevoelens had voor Huzeya, dan zou hij er waarschijnlijk niet op kunnen antwoorden. Hij dacht niet aan dergelijke zaken, en ook Huzeya niet. Dat hoefde ook niet, alles werd geregeld door God en in de naam van God. De Schepper zou wel zorgen dat iedereen gelukkig werd.

Na enkele jaren in België ontmoetten Ahmed en Huzeya elkaar meer en meer. Dat was vanzelf gekomen, want soms ging de familie van Ahmed op bezoek in Mechelen bij de familie van Huzeya, en soms kwamen ze vanuit die stad aan de Dijle, naar het te kleine appartement aan de Kerkstraat in Antwerpen. Net zoals in hun bergdorp bleef het de gewoonte dat jongens en meisjes apart speelden, twee groepen vormden. Maar het gebeurde ook dat ze allen samen naar de cinéma gingen. Dat was één van de privileges die ze zich nu, in hun nieuwe vaderland, konden veroorloven, één van de zaken die met lede ogen werd toegestaan door de ouderen. Als de jongeren naar de cinema Gaumont in de buurt van de Antwerpse Keyserlei, niet ver van het Centraal Station gingen, dan was het steevast Fatma die bepaalde welke film ze gingen bekijken, en het was ook zij die er voor zorgde dat iedereen bevoorraad werd met grote emmers popcorn en halve liters cola.
En dan, wanneer de film was begonnen, in de donkere zaal zestien van het cinemacomplex, als niemand lette op de bewegingen van het jonge koppel, wanneer ieders aandacht werd getrokken door de gebeurtenissen op het witte doek, kruisten de blikken van Huzeya en Ahmed elkaar, en gedurende enkele seconden werden ze één. Hun gevoelens voor elkaar waren geen geheim meer. En zo werd iedereen meer en meer volwassen.

25 december 1997 was een keerpunt. De dag voordien heerste er een grote zenuwachtigheid in de Kerkstraat te Antwerpen, in dat veel te kleine appartement op de tweede verdieping. Bilo, Fatma en Daye hadden alles gepoetst en geschrobd alsof hun leven ervan afhing. Zelfs Ilhan had geholpen, en Baba en Ahmed waren, samen met de kleine Nezir, vertrokken naar het warenhuis Aldi waar ze van alles hadden gekocht. Sona, de roepnaam voor Songül, in het Nederlands als 'de laatste Roos' vertaald, en door een vriend van de familie altijd 'de engel' genoemd, lachte bij de gedachte dat ze straks Daye mocht helpen om Kerstmis voor te bereiden.

En Daye maakte er een grandioos feest van, volgens de aloude Assyrische tradities. Ze bakte Pita, maakte pizza, Lahmacun, rijst met kip en verschillende groentes en er werden verse olijven geserveerd, Turkse pepers, schuimwijn en snoep, veel snoep. Fatma las haar voor uit het kookboek, op welke manier het hoofdgerecht moest worden klaargemaakt, en ze keek er streng op toe dat niet geknoeid werd met de hoeveelheden en de ingrediënten. Ja, haar moeder was een echte keukenprinses, maar soms durfde ze toch al eens te veel boter in de pan te doen, of als er ergens vermeld stond dat er maar 500 gram vlees nodig was, dan kocht ze steevast één kilogram. Maar die avond was anders, het was Kerstavond, maar vooral, het was de laatste Kerstavond van de familie met Ahmed erbij als ongehuwde jongeman. Om die reden wilde Fatma dat het kerstfeest perfect zou verlopen, daarom wilde die jonge prinses dat het eten vorstelijk was. Ze nam het kookboek, dat vol hing met vettige vingerafdrukken, en restanten mayonaise, en riep naar Daye dat ze moest controleren of ze wel alle ingrediënten had.

Die avond zouden ze ook gegrilde zalm op Turkse wijze eten. Het was het lievelingsgerecht van Baba, die altijd glunderde wanneer zijn lieve vrouwtje het klaarmaakte. Fatma las Daye voor wat ze nodig hadden, en controleerde ondertussen of het wel aanwezig was: 'vier zalmmoten - 200 gram verse, zachte schapenkaas - verse, fijn gehakte peterselie - 15 cl room - 3 eetlepels cognac - zwarte peper - zout en witte peper - olijfolie.'

Het verwonderde Fatma dat Daye hierin slaagde, want meestal ontbrak er wel iets. Niet zozeer omdat Daye vergeten was het te kopen, maar meestal omdat Sona of één van de andere kinderen heimelijk al op voorhand de ijskast had geplunderd. Vrienden van de familie zeiden meestal lachend dat het precies een meute hongerige wolven was, die zich telkens weer stortte op de vele lekkernijen die Daye klaarmaakte.

Nadat alles mooi was uitgestald op het te kleine aanrecht, in die keuken van twee bij drie meter, begon Fatma langzaam het recept voor te lezen, af een toe een kwade blik werpend rondom haar, wanneer weeral één van de broers of zussen de keuken kwam ingerend. 'Prak de kaas fijn met een vork - meng de fijne stukjes kaas met de room en voeg er al roerend de cognac aan toe totdat u

een glad en romig mengsel bekomt - kruid bij met zwarte peper, witte peper en zout - laat ½ uur in de ijskast afkoelen'. Als een kleine generaal loodste Fatma haar liefste moeder door het recept, en ze zag dat het goed was.
Later op de avond zouden ze de zalmmoten, die ze vooraf met olijfolie hadden ingewreven, aan alle kanten grillen. Ze zouden ze opdienen met de roomsaus van schapenkaas. Fatma was blij als er weer eens gefeest werd, want het betekende steeds weer dat er speciale dingen werden klaargemaakt die ze gewoonlijk niet aten. Baba had ook nog gezorgd voor een schapenbout die hij had gekregen van een vriend van hem, en zo zou het toch een echte gezellige Assyrische avond worden, daar in de stad aan de Schelde. Het zou bijna zijn zoals thuis, vroeger, daar in Hassana in het verre Turkije. Alleen als ze nu naar buiten keken, waren de bergen vervangen door de grauwe muren van de vele vervallen panden in de buurt, het getto in Antwerpen waar ze leefden.

De volgende dag, Kerstmis, zouden verschillende Assyriërs op bezoek komen, en Baba zou officieel de verloving aankondigen van Huzeya en Ahmed. Ze zouden dan in april 1998 trouwen, één week voor Pasen. Sona lachte, want haar examens in het Atheneum waren goed geweest. Ze was pas dertien jaar oud, maar zag er uit als een schoonheid van zeventien. In feite was het zo dat ze misschien wel vijftien jaar oud was, maar toen ze in België kwamen, had iemand van de Burgerlijke Stand zich vergist bij het opmaken van de documenten, en zo was ze, op papier althans, jonger geworden. Niemand die er in feite wakker van lag. Songül, de mooie roos, was als de perfectie zelf, en veel van haar klasgenootjes benijdden haar schoonheid. Maar Sona was ook een echte Assyrische, die haar moeder hielp, en blij was met het feest dat komen zou. Ja, zij zou samen met Fatma helpen om er een bijzondere dag van te maken voor Ahmed.

Sona was de jongste zus van Ahmed, werkte altijd als een paard, en steeds weer was ze bereid zichzelf weg te cijferen voor anderen. Sona was een echte Assyrische, en toch was ze bijna als Belgische geboren. Ze was pas twee en een half toen ze Hassana verliet, ze heeft in werkelijkheid haar geboortedorp nooit gekend. Sona was vier jaar ouder dan Nezir, haar jongste broertje die Turkije zelfs nog nooit had gezien. Hij was een flapuit, een moederskindje, en hij profiteerde ervan om de benjamin van de bende te zijn. Steeds weer slaagde hij erin om van Daye nieuwe schoenen of kledij te krijgen, de laatste keer zelfs een gitaar waarop hij nooit speelde, en die hij na één dag achteloos in een hoek van de kamer had gedumpt. Ergens, onbewust, diep in haar binnenste, compenseerde Daye het verlies van een dochter, door de komst van een nakomertje in het verre België, dat ze hadden geruild voor het Hassana uit het verleden.

Kerstavond 1997 werd een bijzonder feest. De ronde salontafel vol met schuimwijn, cola en limonade, olijven, met of zonder pitten, Turkse pepers en chips, was een waar slagveld, nadat de jonge bende een grabbel had gedaan in de kleine, kleurrijke kommen. In het salon waren twee kunstlederen driezits en een stoel. Baba keek naar de Tv die veel te luid stond op een Turkse zender. Naast hem zat zijn lieverdje Sona, en naast haar Ahmed. Bilo, Daye en Ilhan hadden in de andere zetel plaatsgenomen, en naast de eetkamerdeur op een stoel zat Fatma, als een dirigent van het orkest, roepend naar iedereen wat ze moesten doen, en vooral wat ze niet moesten doen. Die kerstavond zouden ze nooit meer vergeten in het leven. Het was de laatste avond van gezamenlijk geluk, want vanaf volgend jaar zou Ahmed zijn eigen nestje hebben. Er werd getaterd en gekwebbeld in het Turks, het Assyrisch en het Nederlands. De muziekkanalen MTV en JIM TV wisselden elkaar af in een ijltempo, tot Baba genoeg had van het gezap van de kinderen, en koos voor een Turkse televisieshow met bejaarde sterren. Ilhan belde ondertussen constant zijn vriend Robert Willems op, ook een nakomertje bij dat protestantse gezin, en een beetje een debiel figuur van achttien jaar oud. Hij ging net als Ilhan naar de PIVA, de beroemde Antwerpse hotelschool, en pochte ermee dat zijn vader dominee was. Maar aan zijn manier van leven en praten, was dit zeker niets om fier over te zijn. Bilo was haar nagels aan het lakken, tot ergernis van Fatma die vond dat ze dat maar eerder had moeten doen. Ahmed genoot met volle teugen van de kleine woordenwisselingen die plaats hadden tussen de verschillende broers en zussen onderling. Ja, kerstavond 1997 was een avond om niet te vergeten, vol van liefde en geborgenheid, en vooral een avond vol veiligheid en steun vinden bij elkaar.

Om acht uur, het was al donker buiten, besliste Fatma dat men ging eten. De tafel was prachtig gedekt, en Ilhan had op een mooie kaart 'Restaurant Fatma' geschreven, en hij hing die op aan de

eetkamerdeur. Iedereen lachte en voelde zich gelukkig bij het aanschouwen van hetgeen ze van God kregen, elke dag opnieuw. Deze eenvoudige Assyrische familie kende nog de echte waarden van het leven, en wist dat simpele dingen meer geluk konden brengen, dan een blitse wagen of nieuwe schoenen. Daye had zich weeral overtroffen in de veel te kleine keuken van het appartement op de tweede verdieping, ergens in de Kerkstraat te Antwerpen. De 'lahmacun', fijne opgerolde Turkse pizza en de 'Belgische' pizza, zolas steevast door Fatma genoemd, lagen broederlijk naast elkaar op grote ronde borden, tussen de potten olijven, de geroosterde schapenbout en de rijst. Vers gekookte pasta, provençaalse saus, gegrilde zalm en de schapenroomsaus voltooiden het festijn. Alles was er, aangevuld met Turks brood, geitenkaas en liters rode wijn uit de streek rond Bergerac. Komkommers en tomaten waren in fijne schijfjes gesneden, en de sla oogde als een groene oase, waarop de rest van de groenten waren geëtaleerd. Er was zeker voldoende om minstens twintig volwassen mensen te eten te geven, maar ook dat was een Assyrische gewoonte. Volgens de traditie, een gebruik van duizenden jaren, moest je er altijd over waken dat je genoeg eten had, om onverwachte gasten te kunnen ontvangen en te herbergen, zoals God het wilde.
Voor de familie aan tafel ging, sprak Ahmed een dankwoord uit voor al het goede dat ze weer ontvangen hadden. En dan kwam de aanval. Als een tornado, een wervelwind, met veel lawaai en geschreeuw, werden de schotels doorgegeven. Handen graaiden in de mand met brood, onder het uiten van verrukte kreten bij het proeven van al dat lekkers. De maaltijd duurde zeker twee uur, en wonder boven wonder bleef iedereen aan tafel zitten. Na het eten ruimden de jongsten af en de oudsten deden de vaat. Zo was het ook een beetje feest voor Daye, en was ze te gast in haar eigen huis.

Iedereen lachte en zong die avond. En zo werd het middernacht. Even werd het stil. Broers en zussen vlogen rond elkaars nek, en wensten elkaar, maar ook Daye en Baba, een zalig Kerstfeest, en iedereen voelde weer die warme gloed van samen te zijn, de kracht van verbondenheid en liefde. Daye vroeg te bidden voor de overleden familieleden, voor diegenen die het niet goed hadden op aarde, voor hen die niet konden feesten samen met de familie. Het werd heel rustig, en een traantje werd weggepinkt. Even leek de tijd stil te staan, daar in de Kerkstraat te Antwerpen, waar allen diep in gedachten waren verzonken. Maar de vredige rust in het appartement duurde niet lang. Onder impuls van een altijd onstuimige Nezir, die niet goed begreep waarom men op zo een avond droef moest zijn, keerde de stemming terug, en tegen drieën gingen ze slapen. Het was een fijne avond geweest, één van die vele geschenken van God.

Ahmed dacht in Leuven Centraal, op de tweede verdieping, op enkele vierkante meters ruimte, gezeten op een houten stoel aan een wankele tafel, aan dat laatste kerstfeest dat hij gevierd had met zijn familie. Toen was hij nog vrij, was hij een man waar iedereen naar opkeek. Hij was het voorbeeld voor de broers en zussen, voor de neven en nichtjes en voor de vele leden van de Assyrische gemeenschap. Plots kwam er een vreemde gedachte bij hem op. Was hij het waard dat hij nog leefde? Hij ging rechter zitten op zijn stoel, en begon er dieper over na te denken. Zijn handen werden nat van het zweet. Neen, dat kon toch de bedoeling van God niet zijn. Hij kon toch weeral niet iedereen ongelukkig maken en in de steek laten. Dat mocht niet weer gebeuren. Maar waarom had hij dan zulke overpeinzingen? Was het omdat hij gekooid was als een gewonde leeuw, zonder enig uitzicht op een nabije toekomst in vrijheid? Hij reisde met zijn gedachten in tijd en ruimte. Hij kon toch opkijken naar een lieve vrouw en een mooi nageslacht, en hij had toch nog zijn familie die voor hem zorgde en op wie hij kon rekenen. Ja, God had hem niet verlaten, want hij was toch veilig, zelfs hier tussen de vier betonnen muren met tralies voor het te kleine raam. Ooit zou de dag komen dat hij mocht weggaan uit Leuven Centraal. Maar waarom dacht hij dan dat zijn leven geen zin meer had? Hij stond op en begon te ijsberen over de koude betonnen vloer van zijn cel. Hij keek naar de muur boven zijn bed, en zag een foto hangen van hem en Huzeya, een week na hun huwelijk. En zowaar, de zwarte gedachten, de afgrond die leidde naar het zwarte gat, verdween, en maakte plaats voor een zee van licht, als een brug over een brede rivier, een regenboog bij heldere hemel. Donkere wolken maakten plaats voor zonneschijn als hij dacht aan zijn teerbeminde, als hij dacht aan die grote dag in april 1998 toen ze elkaar eeuwige trouw beloofden.

### Het huwelijk

De avond voor het huwelijk brak aan. Het was de laatste vrijdag vooraleer de Goede Week zou beginnen. Zeven uur 's avonds, iedereen was al thuis. Baba brak het brood aan tafel, en het was Ahmed zelfs een beetje te machtig geworden toen hem gevraagd werd het dankwoord te zeggen. Enerzijds was hij vereerd deze taak van vader over te kunnen nemen, maar anderzijds besefte hij ook dat dit het laatste dankwoord zou zijn als ongehuwde man. Hij keek naar zijn broers en zussen en zag dat het goed was. In stilte werd het eenvoudige avondmaal dat bestond uit schapenkaas, olijven, brood en wijn met elkaar gedeeld. Na de maaltijd zaten ze samen en dachten ze na over alles dat was gebeurd de voorbije jaren en in de toekomst nog kon voorvallen. Ze gingen vroeg slapen, om negen uur reeds, want anderdaags zou het vroeg dag zijn. Om vijf uur stond Daye op en wekte de aanstaande bruidegom, de zussen en broers, en als laatste Baba, de patriarch. Ondanks een zenuwachtige stemming heerste er daar in de Kerkstraat toch een gevoel van vreugde, want het huwelijk was een teken van liefde, een ultiem verbond onder de ogen van God, dat hopelijk zou worden gezegend met enkele kinderen. Het was een grote stap voor Ahmed, en Fatma plaagde er haar lievelingsbroer mee. Zij deed alsof ze pruilde nu hij met Huzeya zou trouwen, maar hij wist dat ze het niet meende. Daye orchestreerde iedereen en elke beweging werd door haar gekeurd, en het lieve kleine, tengere vrouwtje slaagde er warempel in om er voor te zorgen dat om half tien iedereen klaar stond om naar de Lange Winkelstraat te gaan waar in het Protestantse centrum de viering zou plaatsvinden, waar dominee Willems het huwelijk zou inzegenen. Baba had gezorgd voor drie zwarte, glimmende taxi's, die met ronkende motoren voor de deur aan de Kerkstraat stonden. Met veel getoeter, gevolgd door andere wagens versierd met linten, auto's van familie en vrienden, vertrok de stoet via de Carnotstraat en de Gemeentestraat, naar de kerk die gelegen was in de Lange Winkelstraat in Antwerpen. Oom agent kneep een oogje dicht toen hij zag dat het bonte, blije gezelschap een rood licht negeerde. Voorwaar het beloofde een prachtige dag te worden. Ahmed was toch een beetje nerveus. Hij had wel nog de avond voordien met Huzeya getelefoneerd, maar zoals de oeroude traditie het eiste, mocht hij haar pas in de Kerk voor het altaar terugzien.

'Stel dat er iets gebeurde onderweg, stel dat ze zich bedacht had'. Groot was zijn opluchting toen hij haar ranke silhouet aan de Kerk zag staan naast haar vader, en omringd door tientallen Assyrische prinsessen, die vol bewondering keken naar het bruidskleed voorzien van een zes meter lange, witte, kanten sluier. Ahmed stapte uit de taxi en moest glimlachen, toen hij daar dicht bij het kerkportaal, heel onzeker en een beetje bedremmeld, Gaston zag staan. Zijn werkmakker, lid van het Vlaams Blok, werd zelfs aangeklampt door een leuk Turks meisje dat persé met hem wilde praten. Gaston werd vuurrood en wist niet wat te doen. Ahmed wierp hem een knipoog toe, en keerde zich vervolgens naar Huzeya toe. Ja, ze was er klaar voor, zag hij in haar ogen die fonkelden als geslepen diamanten.

De plechtigheid zelf duurde een uur, en was één grote lofbetuiging aan de goede God, aan de Herder die over zijn schapen waakte, die er weer voor zorgde dat enkele mensen een verbond sloten om gelukkig te worden in dit leven. Ahmed had het zich allemaal een beetje anders voorgesteld, maar hoezeer hij nu ook nadacht, hij wist niet meer wat er in dat ene uur was gezegd door de dominee tijdens zijn preek, want alles was als in een droom voorbijgegaan. Ahmed stond daar in zijn grijze kostuum, met een wit gesteven hemd en een zwarte das te glunderen aan het altaar van de Heer. Hij droeg blinkende zwarte schoenen en zijn haar stond stijf van de gel. Hij rook lekker, want Fatma had ervoor gezorgd dat hij Davidoff ophad, zijn lievelingsreuk zoals ze overal verkondigde. Eigenlijk was dat een beetje gelogen, want hij verkoos een fles van het merk Armani, maar om haar niet teleur te stellen wanneer hij zo een fles kreeg met zijn verjaardag, had hij telkens opnieuw enthousiast bedankt.

Huzeya straalde liefde en geluk uit aan het altaar. Ze droeg de zes meter lange, witte, kanten sluier die haar overgrootmoeder nog in de bergen in Hassana had gedragen toen zij trouwde, honderd jaar geleden. Verder droeg ze een wit kleed dat afgeborduurd was door de beste Assyrische naaisters uit Mechelen, en glimmende witte open muiltjes. Aan haar rechterringvinger droeg ze een zilveren ring met een knoest van een diamant, die schitterde als ze buiten in het zonlicht liep. Het was een juweel dat ze had gekregen van Ahmed, toen hij haar officieel had gevraagd om met haar te huwen. Aan haar hals droeg ze een ketting van echte parels, haar geschonken door Daye, die ze ooit zelf van haar grootmoeder had gekregen. Voor Huzeya was dit het bewijs geweest dat ze welkom was bij de familie van Ahmed. Nadat de dominee de viering had beëindigd, nadat ze elkaar voor de ogen van God en de Assyrische gemeen-

schap eeuwige trouw hadden beloofd, wandelden ze door de prachtige tuin van de protestantse Kerk naar de feestzaal die daar aanpaalde. In het midden van de zaal waren twee stoelen gezet, één voor Ahmed, één voor Huzeya. Nadat ze er hadden plaats op genomen, begon een eindeloze defilé van vrienden, kennissen, familie uit binnen- en buitenland, collega's en leden van de Kerk, die elk persoonlijk hun wensen kwamen brengen, samen met een geschenk voor het jonge paar. Gaston stond erop als één der eersten zijn werkmakker te feliciteren, en hij verontschuldigde zich uitgebreid dat hij niet op het feest kon blijven. Ahmed begreep dat zijn vriend het moeilijk had met al die vreemdelingen in zijn omgeving, en vergaf het hem, want het feit alleen dat hij was gekomen, betekende heel veel. Gaston had een gevulde biermand meegebracht, en hij knipoogde naar Ahmed als hij wees op dat ene flesje, dat Ahmed eens op een speciale gelegenheid moest uitdrinken. Het was 'de Leeuw van Vlaanderen' een bier met hoog alcoholgehalte, dat te koop was op het Nationaal Secretariaat van het Blok. Ahmed lachte en zei dat het goed was.
Huzeya begroette ondertussen vele neefjes en nichtjes die ze al jaren niet had gezien, en al vlug zat het jonge paar temidden van een berg met honderden grote en kleine geschenken. Fatma was als een volleerde orkestmeester aan het proberen alles in goede banen te leiden, en van elk geschenk schreef ze op van wie het was, maar al gauw was er chaos, en een beetje boos draaide ze zich om en ging pruilen bij de discobar. Kilometers stof was er geweven in de tientallen dekens, spreien en tapijten die het paar kreeg, ze hadden nu negen kookpotten, twaalf pannen, drie fruitpersen, twee wafelijzers enzovoort. Het was zeker dat ze de eerste jaren geen huisraad meer zouden moeten aankopen. Naarmate de rij korter werd besliste Baba om alles te laten overbrengen naar een kamertje naast de feestzaal, zodat straks het grote buffet kon beginnen, gevolgd door een dansfeest dat hopelijk zou duren tot in de vroege uurtjes. Dat was het verschil met Hassana, daar vierde men drie dagen en drie nachten, want dat hoorde zo. Het ganse dorp vierde mee. In Antwerpen kon dat niet, had de dominee gezegd, maar misschien was hij wel te oud of te gierig om te snappen dat een goed huwelijksfeest nu eenmaal drie dagen moest duren.

De berg cadeaus bleef aangroeien en de mensen kregen nu ook stilaan honger. Ilhan telde 130 genodigden, maar hij kreeg ruzie met Fatma die er wel tweehonderd telde. Ilhan glimlachte, zo was zijn oudere zus, altijd overdrijven, kort van stof, soms heel opvliegend maar toch een schat van een mens. Ondertussen werden de tafels op de voorziene plaatsen gezet, vier lange rijen en aan elke rij konden zeker vijftig mensen plaatsnemen. Deze tafels stonden in het midden van de zaal. Wanneer men de zaal binnenkwam, aan de rechtermuur, zag men de tafels waar het buffet op zou pronken. De traiteur van dienst had van Daye strikte orders gekregen hoe en welk voedsel bereid moest worden, want de genodigden waren Assyriërs en aten andere dingen dan de Belgen.

Giovanni, de traiteur van dienst, en zijn vrouwtje Chantal hadden in Kieldrecht, een dorpje dat gelegen was in de schaduw van de koeltorens van de Kerncentrale van Doel, een bloeiende zaak. Ze vreesden dat er elk moment wel controle zou komen van Daye en enkele andere Assyrische vrouwen, die hen waarschijnlijk zouden terechtwijzen dat het vlees te weinig gekruid was of iets dergelijks. Maar wonder boven wonder gebeurde dit niet. Giovanni had het vertrouwen gekregen van de Assyrische familie dank zij Jan, een lid van de Protestantse gemeenschap die de kookkunsten van het paar kende van de vele bezoeken aan 'den Brisée', het sfeer- en eetcafé te Kieldrecht. Hij wist dat Giovanni bereid was zijn grenzen te verleggen, en openstond voor multiculturele ideeën.

Het huwelijksbuffet zelf was een streling voor het oog, een pareltje van gastronomische kunst dat een weldaad vormde voor alle zintuigen die de mens had. Giovanni had gezorgd voor een buffet van voorgerechten, gebaseerd op alle soorten gesneden vlees doordrenkt van olijfolie, met Parmesankaas en vergezeld van groene en zwarte olijven. Er waren champignons op toast, een mousse van ham in portwijn, maar eveneens sterk gekruide kippenbilletjes. De hete currysoep met een romige afdronk werd geserveerd in kleine kommetjes die nauwelijks twee eetlepels soep bevatten. Er was de verse schapenkaas, de witte geitenkaas, en een berg van pita of Turkse ronde broden. Het hoofdgerecht was een mengeling van vis en vlees, voor elk wat wils. De gegrilde roze zalm op Turkse wijze, moest niet onderdoen voor het stoofpotje van lamsvlees op de wijze van Ankara of de Assyrische omelet. Het geheel was begeleid door massa's groenten zoals aubergine, komkommer, tomaat en grote ringen ajuin en werd geflankeerd door bruine rijst, witte rijst en een grote kom couscous. Daye keek,

proefde en zag dat het goed was. De gasten zouden meer dan voldoende hebben, en achteraf zou men nog lang kunnen spreken over dit Assyrische feest in Antwerpen. Voor het dessert had Chantal voor een verrassing gezorgd. Een echte ijsventer deelde aan groot en klein ijsjes uit in alle smaken, waarna het licht in de zaal werd gedoofd. Op de tonen van 'This is my life' van Shirley Bassey, het lievelingslied van Huzeya, werd de bruidstaart binnengereden. Ze had onderaan een doorsnede van tachtig centimeter en telde vijf verdiepingen. Het glazuur schitterde door het licht van de kaarsen die op de taart ontstoken waren, acht in totaal. Een oorverdovend applaus weerklonk, en Ahmed kneep even in de hand van zijn geliefde. Samen bliezen ze de kaarsen uit, en prevelden in stilte een dankwoord aan God, voor al het goede dat hij hen bracht. Het licht floepte aan, en nadat het bruidspaar het eerste stuk had gekregen, verdween de rest van het pronkstuk in een kwartier tijd in de magen van de vele genodigden. Ja, de jonge kok uit Kieldrecht en zijn vrouwtje hadden hun best gedaan en zagen dat het goed was. Na het verorberen van de taart werden de eerste danspasjes ingezet, en kon het echte feest beginnen.
Ergens in Antwerpen, duizenden kilometers van hun geboortestad Hassana, waaruit ze waren verjaagd als honden in de nacht, vierden onder een sterrenhemel, tot vroeg in de morgen Ahmed en Huzeya hun eerste stappen in een nieuw leven. Het was het begin van een onbekende toekomst. Ze waren bondgenoten, verwanten voor het leven, gebonden door God en hun geloof. Ze werden twee minnaars die elkaar nooit meer wilden verliezen. Gedurende enkele uren was Hassana dichterbij in de harten van vele tientallen mensen uit een kleine gemeenschap in Antwerpen en Mechelen. Ze waren geen Belgen, ze waren geen Turken, ze voelden zich geen Vlamingen, ze waren Assyriërs. Ze spraken die nacht alleen hun eigen taal, en misten het feest in open lucht, in de bergen, dicht bij God. Ze dankten de Schepper voor het moois dat ze hadden gekregen, maar hadden heimwee naar Hassana.

Bij het vallen van de avond was het feest helemaal losgebarsten, en toch was er bij velen een beetje droefenis, als ze dachten aan al hetgeen ze hadden verloren, aan al hetgeen dat nooit meer kon worden vervangen in dit aardse leven. De duisternis, af en toe onderbroken door het hemelse licht van vallende sterren, was Assyrisch, ergens in Vlaanderen, in het grote Antwerpen, en toch was Assyrië zo ver weg. Die ogenblikken was alleen God hun

Herder, hun steun en toeverlaat, hun redder in nood. Onder die zwarte deken die over de aarde was gespreid, die de zon had verjaagd, beloofden er een jonge man en een jonge vrouw elkaar eeuwige trouw maar toch leken ze niet gelukkig, want hun Hassana was ver weg. Die nacht was toch een stukje van dit dorp in de Turkse bergen te vinden in Antwerpen. Maar hoe hoog de kathedraal aan de Groenplaats ook mocht zijn, zijn spits zou nooit reiken tot aan de hemel, zoals de toppen van de bergen de wolken bijna raakten. Hoe luxueus de geplaveide winkelstraten ook mochten zijn, ze zouden nooit het kleine kruidenierswinkeltje van Baba vervangen. Hoe mooi die Antwerpse taal ook was, hoe gezellig ons Vlaanderen ook mocht zijn, nooit zou een Assyriër zijn vaderland vergeten. De waarden van de moderne maatschappij waren niet deze van de traditionele wereld. Maar, ondanks al die tegenslagen, ondanks al dat ongeluk, zouden twee jonge mensen dat moment hun volk tot eer zijn, zouden ze aan de basis liggen van een nieuwe Assyrische geschiedenis, die over gans de wereld zou worden verkondigd. Ze zouden opstaan met de zon, en herrijzen uit de as van het ongeluk, en samensmelten door het vuur van de liefde, dat ook het vuur van hun hart brandend hield.

Toen waren de sterren getuige hoe twee mensen één werden, hoe een nieuw geluk geboren werd, hoe de aartsengel Gabriël zijn goedkeuring gaf, en neerdaalde over de hoofden heen, zoekend naar het sprankeltje hoop op een terugkeer naar het moederland. Die nacht waren de sterren boven Antwerpen ook de sterren boven Hassana, maar toch was de wind er veel kouder dan voorheen. De wind van het geluk werd getemperd door de muur van herinneringen, emotie en verborgen verdriet. In Antwerpen bestond Hassana niet meer.

Maar Hassana bestaat in Turkije ook niet meer. In dat land met de vele moskeeën was geen plaats meer voor de Assyrische Christenen, die nu uitgezwermd leven over de ganse wereld. Zij hadden geluk gehad, maar in zijn mijmeringen, in zijn koude betonnen kamer in Leuven Centraal, stond Ahmed stil bij de uitroeiing van de Armeense Christenen in Turkije. Hij herinnerde zich de verhalen van zijn grootvader en diens vader. Grootvader was geboren in februari 1915, de maand waarin de volkerenmoord begon. Baba zelf had altijd aan zijn kinderen verteld wat hij gehoord had van zijn vader. Ahmed had begrepen dat de uitroeiing van de Armeniers echter niet het werk was van één politieke partij, van het staatsapparaat of van het leger alleen. Tienduizenden gewone Turken en Koerden namen met groot enthousiasme deel aan de drijfjacht op de Armeense Christenen. Hij herinnerde zich hoe verteld werd aan de kampvuren dat vooral de Koerden zich toen onderscheidden door hun bloeddorst en hun wreedheid. Dat kon niet verklaard worden als Turks nationalisme. Nu leefde hij in België weer tussen duizenden Koerden die naar buiten het beeld ophangen van de onschuld zelve. Maar het was alom bekend dat de Koerden tientallen jaren geleden actief hadden deelgenomen aan het uitmoorden van 600.000 Armeense Christenen in Turkije, die gedreven werden naar het onherbergzame gebied van Anatolië. Ahmed begreep niet waarom deze genocide, één van de ergste deze eeuw, altijd werd ontkend. Hij begreep niet waarom in de twintigste eeuw de Christenen nog altijd werden vervolgd.

Ahmed kreeg zulke overpeinzingen, als hij aan Hassana dacht. Hij dacht aan het feit dat zowel de Armeniërs als zijzelf Christenen waren die in Turkije hadden geleefd en gewerkt. Ze hadden, elk op hun manier, bijgedragen tot de verspreiding van het woord van God, de Schepper. Ahmed was blij dat zijn volk nog leefde en niet was uitgeroeid. De Assyrische tradities konden ze voortzetten, al was het duizenden kilometers van hun geboorteland. Hij en zijn familie hadden in de bergen genoeg wreedheden gezien, en ze waren ervan overtuigd dat God hen had beschermd. Ja, zelfs in Leuven Centraal, in een kleine cel in België, leefde Hassana weer. Een fiere jonge man, sterk als een paard, maar gekooid als een leeuw in het circus, was het levende bewijs van het feit dat God overal was. Het was het woord van God dat hem altijd had geleid, het was Zijn wil die, als een lichtbaken, de weg door de duisternis had getoond. Zelfs hier in Leuven, in een onleefbare leefruimte van enkele vierkante meters wist Ahmed wat dankbaarheid was. Ondanks zijn eigen penibele situatie, dankte hij toch de Heer telkens opnieuw, want hij leefde nog en kon zijn godsdienst vrij belijden, zonder schrik. Hij wist dat hij soms het pad van God had verlaten, en dit tot droefenis en ontsteltenis van zijn ouders, zijn broers en zussen, zijn vele vrienden, maar aan het einde zou de Schepper hem toch in de armen sluiten. God was er altijd en overal.

## Sint Jorishof

Sint Jorishof is tot op heden nog altijd een kleine taverne, gelegen aan de Leopoldplaats nummer vier te Antwerpen. In de schaduw van de Nationale Bank, op een boogscheut van de mondaine winkelstraat Meir, is er dit gezellige pleintje met zijn groot terras, zijn diversiteit van wandelaars en zonnekloppers in de zomer. Sint Jorishof is een begrip van vijfentwintig vierkante meter taverne, en vijftig vierkante meter terras. De uitbater is Werner, blond, 1.85 meter groot, een gespierde vrijgezel van 32 jaar oud. Hij is beroemd om zijn heerlijke stoofpotjes, en slaagt erin om als een ware tovenaar in een mum van tijd iets op een bord te krijgen. Vele meisjesharten kloppen sneller als die sportman hen bedient op het terras, en met de nodige flair kan hij een eenvoudig pintje serveren, als ware het een glas gekoelde champagne. Werner is ook iemand die bekend staat als een levensgenieter, en meer dan eens is het gebeurd dat hij met vrienden gaat stappen tot zeven uur 's morgens. Maar 's anderdaags is hij alweer paraat voor een nieuwe dag.

Het was tijdens één van die legendarische uitstapjes dat Werner de jonge Assyrische kruidenierszoon Ahmed had leren kennen, per toeval in feite. Beiden zaten in hetzelfde pitarestaurant aan de Waterpoort te Antwerpen, en toen onze vrolijke cafébaas met een diep Antwerps accent probeerde een Pita in het Turks te bestellen, was Ahmed hem te hulp geschoten. Zo waren de beide jongelieden aan de praat geraakt, en het duurde niet lang of de Assyrische knaap kwam op bezoek aan de Leopoldplaats te Antwerpen. De vriendschap tussen de Vlaamse reus en de zoon van een stoere bink uit de Turkse bergen groeide meer en meer. Na verloop van tijd belden ze geregeld met elkaar, en er ontstond een band van vertrouwen. Enkele maanden later ging het jongere zusje van Ahmed, de lieftallige Bilo er in de weekends werken en dit vanaf het moment dat ze amper zestien was geworden. Om 18.00 uur, op vrijdag – en zaterdagavond kwam ze aan in de kleine taverne, in haar modieuze kledij, recht van school. In het begin had de jonge prinses moeite om de namen te onthouden van iedereen, en het gebeurde nogal eens dat Bilo een fout biertje serveerde, maar haar ontwapenende glimlach zorgde er telkens opnieuw voor dat de klanten toch tevreden waren, en dat merkte ze vooral in haar fooienpot. 's Avonds, omstreeks 23.00 uur, kwam broertje, zoals ze

Ahmed steevast noemde, haar ophalen met zijn donkere BMW waarmee hij door de stad scheurde, als een ervaren Formule 1 piloot. Soms zat hij eerst vanuit de wagen naar zijn zusje te kijken, hoe goed ze wel was, en lachte hij. Ja, Ahmed was best fier op de kleine Bilo die toch zo haar best deed.

Werner werd af en toe in de zaak vervangen door de vijfenveertigjarige Yvette, altijd goed gezind en steeds in voor een lach. Zelfs als ze per toeval in de taverne aankwam, duurde het geen vijf minuten of ze hielp bij de afwas, het afruimen, en onderhield de klanten. Ze was de tweede moeder van velen, een steun bij de jeugd in de examenperiode of bij stukgelopen relaties, een aangename verpozing als men er na een drukke werkdag weer eens binnenkwam voor een babbel. Iedereen noemde haar moeke, en ze was terecht fier op de verworven titel, want het was een eerbetoon aan al het goede dat ze deed. Werner was er blij om, de klanten waren tevreden, en Yvette, het duiveltje-doet-al, straalde meer dan eens, als die jonge bende haar probeerde te beduvelen. Eén strenge blik volstond om dan de rust te doen weerkeren. Op vrijdagavond na het werk ging Ahmed samen met Gaston daar afstomen, voor hij het weekend onveilig begon te maken samen met zijn beste vriend Kemal.

In het Sint Jorishof kwamen alle soorten mensen. Je had er Steve van de toenmalige Gerechtelijke Politie, die werkte bij de afdeling 'witwassen'. De sommen geld die door zijn handen gingen zou Ahmed nooit bij elkaar verdienen, al werkte hij nog honderd jaar. Steve was een Vlaming die voor zijn mening durfde uit te komen. Hij betreurde, net als velen, dat wanneer men zich openlijk een Vlaming durfde te noemen, men automatisch gebrandmerkt werd als zijnde een racist, een facist, een Neo-Nazi en meer van al dat moois. Het klopte dat vele mensen van hun 'Vlaming-zijn' misbruik maakten, om te extreem te gaan, maar iemand wiens beste vriendin een Turkse was en die aan huis kwam bij diverse Marokkaanse families, kon men moeilijk een racist noemen. Steve begreep het onbegrip niet van vele linkse rakkers, welke door anderen dan weer links tuig werden genoemd, dat ze zelfs het verschil niet zagen tussen een Vlaming en een racist. Hij begreep aan de andere kant evenmin dat wanneer een allochtoon op heterdaad betrapt werd bij een gewapende overval, sommigen zich toch nog geroepen voelden om dit te wijten aan de maatschappij, terwijl

wanneer een Vlaming betrapt werd, dit blijkbaar niet de schuld was van diezelfde maatschappij. Ja, 'Vlaming' zijn was niet eenvoudig in de éénentwintigste eeuw in Antwerpen.
In het Sint Jorishof kwam ook Dirk, een inspecteur van het I.V.K., die regelmatig de bende van het Sint Jorishof vervoegde. Hij was een intellectueel die graag een mondje Frans praatte, een goedlachse veertiger, altijd in voor een kwinkslag. Hij en Steve probeerden de dagelijkse zorgen te vergeten met een goede babbel, en ze hadden het meer dan eens over de moeilijkheden die ze ondervonden met een log werkend staatsapparaat, niet altijd een zegen bij de uitoefening van hun beroep.

Verder was Anne er een vaste stamgast. Ze werkte bij een gerenommeerd advocatenkantoor in het hart van Antwerpen, en beklaagde zich constant over het teveel aan werk en het te lage loonbriefje. Toch straalde deze slanke dertiger als ze ' s avonds binnenkwam, en haar gulle lach deed menig mannenhart sneller slaan. Een vaste relatie had ze niet, evenwel had ze een voorliefde voor jongere kerels die zij dan eens zou willen temmen. Maar de laatste tijd waren er niet veel scalpen geweest, en meer dan eens probeerde ze met een goed glas wijn haar problemen te vergeten. Maar dat lukte meestal niet, en naarmate het alcoholverbruik steeg, ging ook haar verdriet de hoogte in, en werd ze steeds ongelukkiger. Gelukkig was 'moeke' Yvette er dan om met haar te praten.

Een andere vaste stamgast was Paola, een vijftiger die samen met haar man François in het diamantkwartier werkte en woonde. Zij was conciërge en knapte kleine karweitjes op in het gebouw waar ze woonden, hij was een vlotte veiligheidsagent die vooral 's nachts werkte in de OCMW gebouwen aan de Lange Gasthuisstraat te Antwerpen, op een steenworp van het Sint Jorishof. In de zomer zat het koppel te genieten van de wereldberoemde Sangria van Werner, als twee dartele verliefde veulens.
Tenslotte hadden we Shana en Filip, twee achttienjarige studenten, die elkaar om de sport plaagden. Shana, een slanke, grote blondine, bewust van haar schoonheid was intelligent, eerlijk als goud en ze studeerde nog. Haar beste vriend was Filip, eveneens achttien, en iemand met een gouden hart. Zijn zwarte haar, met soms veel te veel gel, was altijd achteruit gekamd, en in feite was hij een beetje verliefd op Isabelle, een tiener van zestien. Maar zijn soulmate was,

en bleef, Shana. Hij werd wel regelmatig geplaagd door de oudere stamgasten, die hem aan Anne wilde koppelen. Zij zag dat groene blaadje wel zitten, maar Filip voelde niets voor die voor hem veel oudere vrouw. Shana was lief en gezellig, en ze kon een mannenhart doen smelten met haar donkere ogen. Een cola uit het flesje drinkend, durfde ze plagend met haar ogen te knipperen naar de vele bezoekers in de taverne, wiens hartje bij haar aanblik sneller ging slaan. Shana was een eigenwijze meid, met eigen problemen, maar altijd klaar om een ander te helpen als ze kon. Ze was de lieveling van Steve en Dirk, omwille van haar volwassenheid, eerlijkheid en mooie ogen.

Isabelle, zestien jaar, dochter van een zeeman en een Filippijnse moeder welke gescheiden waren, had een Oosterse look, en was romantisch aangelegd. Als ze verscheen op het pleintje voor het Sint Jorishof, nonchalant haar draagtas met schoolboeken in de hand, dan wist ze maar al te goed dat menig hoofd zich omdraaide. Haar ranke verschijning, steeds weer in modieuze kledij, was een plezier om te zien. Zelfs in de nacht verbleekten de sterren, wanneer Isabelle huiswaarts keerde. Haar donkere, zwarte haren wapperden in de wind, en haar gitzwarte ogen konden dwars door je heen priemen. In tegenstelling tot vele van haar leeftijdsgenoten, was zij al een jonge volwassen vrouw, die plezierig uit de hoek kon komen, en ook in was voor een serieus gesprek. Isabelle had een vriendje, Vince genaamd, even oud als zij, maar toch was hij meer de jongensachtige puber, die haar diepste verlangens echter niet kende. Zij was de mysterieuze schoonheid die kleur gaf aan het soms troosteloze café, daar in de schaduw van de Nationale Bank te Antwerpen.

Al die bezoekers, die klanten, die mengelmoes van jong en oud maakten het oude gebouw dat door het OCMW werd verhuurd levendig. Dat allemaal waren de vrienden van Werner uit het Sint Jorishof, zijn kameraden, zijn steun en toeverlaten als hij zich als vrijgezel weer eens eenzaam voelde. Een bont, heterogeen en soms toch zo hecht gezelschap dat elke avond van zes tot acht de wereldproblematiek besprak en oploste. Deze stamgasten werden aangevuld met studenten en studentes van het laatste middelbaar, die hun eerste pasjes in het liefdesleven zetten. Ook auteurs, acteurs en enkele oudere, rijke weduwes zaten dikwijls op het terras, of 's winters aan de authentieke buisstoof op de houten bruine stoelen, of de groene zitbanken die zorgden voor een speciale sfeer in de taverne.

Het was een interieur dat rust en gezelligheid uitstraalde, een zaak die uitnodigde tot het leggen van contact met elkaar. Aan de olijfgroene muren hingen vergulde kaders die leeg waren, op één goudkleurige engel na. 's Avonds brandden er theelichtjes, en Werner zorgde dan voor enkele kleine hapjes aan zijn toog. Er stonden welgeteld zes barkrukken, en meestal was dat te weinig. In de toiletten hingen posters van enkele grote muziekspektakels die binnenkort hun tenten zouden opslaan in Antwerpen, en het Sportpaleis weer zouden laten vol lopen. De muziek was er gevarieerd, naargelang het publiek, en men apprecieerde er de zwoele tonen van de salsa in de zomer, maar eveneens de gospel en blues in de barre winteravonden, dicht bij de stoof.

En tot dit bonte gezelschap, in deze artistieke taverne die soms meer weg had van een gezellig bruin praatcafé, behoorde ook Ahmed. In het begin dat hij er samen met Gaston kwam, had hij wel schrik voor de reacties van al die vreemden. Maar al gauw bleek dat die vrienden van Werner gewoon plezierige mensen waren. Gaston werd eveneens direct aanvaard door Werner en de zijnen. Er werd open en bloot over het Vlaams Blok gepraat, maar ook over het geloof of over andere dingen des levens. In het begin moest Ahmed telkens opnieuw uitleggen dat hij geen Turk was, maar wel een Assyriër, wanneer tijdens een gesprek men het weer eens had over zijn Turkse landgenoten. Maar toch bleef iedereen hem 'den Turk' noemen, en al gauw gaf hij het op. Neen, kwade wil was het niet, eerder onwetendheid.

Steve begreep het wel, en met hem voerde Ahmed lange gesprekken over Hassana. Steve leerde zo de Hasnaye kennen, en leerde meer over de genocide van de Armeniërs. Als Ahmed in het Sint Jorishof met Gaston arriveerde, gingen ze steevast zitten aan het eerste tafeltje rechts, vlak bij het raam, met uitzicht op de Nationale Bank en het romantische pleintje. Het standbeeld van Leopold stond als een wachttoren in het midden, en was voor velen een referentiepunt. Koppeltjes spraken af aan het beeld, en rijdende op de Antwerpse Leien kon men het zien, als een baken dat leidde naar een oase van rust. Omstreeks vijf uur in de namiddag zag men dan van ver de studenten het plein opkomen, Isabelle als een gracieuze godin tussen enkele jongens die dongen naar haar gunsten, maar niet begrepen dat zij genoot van haar macht.

Gaston dronk altijd een Bolleke, zijnde het vermaarde Antwerpse amberkleurige bier De Koninck dat in een bolglas wordt geschonken, Ahmed bestelde een thee met twee klontjes suiker. Al gauw verhuisden ze dan naar de toog, en regelmatig was het nà zeven uur op vrijdagavond, vooraleer Ahmed thuis kwam. Soms had hij nog minder dan een half uur de tijd om zich om te kleden, want om half acht stipt was Kemal er al. Huzeya mopperde dan wel, want ze had gekookt en bleef weer eens met het eten zitten. Ze mopperde niet omwille van het feit dat Ahmed op stap ging met zijn vrienden, want dat hoorde zo in de Assyrische cultuur. De man was de baas, het beest, de patriarch die na een week werken ontspanning verdiende. Waarom zou hij niet met zijn beste vriend mogen weggaan? Dat was toch normaal, en God waakte er wel over dat ze geen ongeluk zouden krijgen.

Neen, Huzeya was alleen boos omdat ze, na een harde dag werken in het huishouden, op vrijdagavond, probeerde haar man te behagen met lekkere spijzen en een versierde tafel, iets waar Ahmed dan geen oog voor had, om reden dat hij weer eens te laat thuis was gekomen. Een echte ramp was het niet, want in de loop van de avond zouden Bilo en Fatma, samen met Ilhan en Daye wel langskomen, en zij zouden haar wel plezieren door te proeven van de lekkere kip of het sappige lamsvlees en de couscous.

Neen, op vrijdagavond, om half acht stipt, begon het weekend voor Kemal en Ahmed, twee mannetjesdieren uit de Assyrische stam, die ondanks hun huwelijk toch trouw bleven aan de gewoonte om samen op stap te gaan. Het weekend was een periode vol plezier, een tweedaagse vol heroïsche verhalen en lonkende blikken naar de vele mooie meisjes die Antwerpen rijk was. Het waren periodes met weinig slaap, na een harde week werken, waarbij men versteld stond van de onuitputtelijke energie die beide jonge paarden uitspuwden.
Of ze nu in de club Çorum zaten, of in het Sint Jorishof, iedereen keek naar de fiere Assyrische bergjongens die, met ogen zo donker als steenkool, alles trachtten te doorgronden, naar deze twee stoere eiken die nog een heel leven voor de boeg hadden. Ja, zelfs Kemal kwam ook af en toe in het Sint Jorishof, en Ahmed verdacht hem

ervan dat hij een heel klein beetje verliefd was geworden op Anneke, zoals hij de slanke den van het advocatenkantoor steevast noemde. Hij trakteerde haar vele glaasjes witte wijn, maar toch kuste hij haar nooit, en Ahmed was daar wel blij om, want zo hoefde hij niet te liegen als Huzeya hem vroeg wat ze hadden gedaan.

Ahmed en Kemal waren als een tweeling, als twee handen op één buik. Ze deelden lief en leed met elkaar, vertelden elkaar hun diepste geheimen en wensen. Soms, op vrijdagavond, als Gaston zijn Assyrische werkmakker naar huis had gebracht, dan gebeurde het dat zowel Ahmed als Kemal, samen met hun familie naar de Leopoldplaats kwamen afgezakt. Daye dronk dan die wereldberoemde Sangria, en Huzeya praatte heel de avond met Fatma, die er over waakte dat haar schoonzus thuis al die lekkere schotels bereidde die haar liefste broer zo lustte. Het bonte, kleurrijke Assyrische gezelschap dat met tram twaalf was gekomen vanuit het Noorden van Antwerpen, oogstte veel bekijks. Was het door de koene strijders, of door de zwartharige, oosterse schoonheden die op het terras zaten? Fatma en Bilo werden gekeurd als jonge merries, en het is zeker dat op die zomerse avonden het terras altijd iets voller was dan anders, en Antwerpen iets mooier oogde dan gewoonlijk. Ja, Werner amuseerde zich dan kostelijk als hij het kwetterende gezelschap weer eens van de tram zag komen, recht naar zijn taverne die leek op een smeltkroes van culturen. En 's avonds, om elf uur stipt, als Baba het teken had gegeven, dan betaalde Daye de rekening en keerden ze terug naar huis, Fatma de laatste tonen zingend van één of ander liedje van haar lievelingsgroep Clouseau. Het was een bont gezelschap dat zich dan spoedde naar diezelfde tram twaalf op de Britse lei, en huiswaarts keerde, elk naar zijn eigen stal. Huzeya en Ahmed naar hun nestje in de Oranjestraat, Baba, Daye en de kinderen naar hun toch troosteloze appartement in de Kerkstraat, Kemal en zijn echtgenote Nayle naar hun woning eveneens in de Oranjestraat gelegen, niet ver van het huis van Ahmed.

Op zo'n avond kwamen ze niet met hun BMW of hun Mercedes naar de stad. Neen, als ze met de familie op stap waren, dan reden ze met de tram, want zo waren ze allen langer samen. De tramchauffeur keek soms wel op als die bende het rijtuig instapte, maar meestal was hij verrast door zoveel schoonheid dat achter die fonkelende ogen van de meisjes schuilging. Nooit maakten de kinderen problemen als ze huiswaarts keerden, nooit mopperden ze op Baba dat het nog maar elf uur 's avonds was, neen, want ze wisten dat elk uur een geschenk was van God en dat het heel belangrijk was in dit leven om van elk moment met de familie te kunnen genieten. Als ze 's avonds dan waren thuisgekomen, dan telefoneerde Ahmed meestal nog eens naar Daye en Baba om hen te danken voor de gezellige avond, en zo wist hij eveneens zeker dat iedereen veilig thuis was.

Huzeya glimlachte dan telkens weer om zoveel ouderliefde en zag dat het goed was. Meer en meer werd ze de moeder, de vriendin en dit naast de rol van echtgenote en kok, van haar man. Zelfs wanneer de kinderen werden geboren, wanneer ze opgroeiden, wanneer het kleine veilige nestje in de Oranjestraat uit zijn voegen begon te barsten, hielden ze vast aan de gewoontes. Assyrische mensen zijn vasthoudende mensen, en Huzeya kweet zich perfect van haar taak. Ooit zou zij met haar Ahmed op een vrijdagavond vergezeld worden van haar Fatma en Bilo, ooit zouden die op hun beurt nagestaard worden door knappe jonge mannen, ooit zouden hun kinderen de harten doen sneller staan. Huzeya werd een tweede 'Daye', de echte 'Daye' was Kebani, vrouw van Baba,maar één woord was hun geheime verbintenis, waar geen enkele Assyrische man ooit iets zou van begrijpen. Het was het woord 'moeder', dat terugging naar het eerste gebod van God, dat een steunpilaar was voor ons geloof.

Wanneer Daye aan de kinderen vertelde over haar moeder, dan was dit altijd vol respect en liefde. 'God vraagt respect voor oude ouders' leerde ze hen bij. 'Alleen maar 'zeggen' dat je respect voor iemand hebt, maar vervolgens niet respectvol met die ander omgaan, dat slaat nergens op.' Het was hard voor de kinderen om reeds zo vroeg de waarden van het leven te leren kennen, maar die vormden juist de basis van het geloof voor de Hasnaye. Toen Ahmed nog een kind was leerden Baba en Daye hem vol geduld hoe hij zich moest gedragen tegenover vreemden en vrienden. De kinderen kregen een goede opvoeding, en wisten wat het was hun ouders en grootouders te eren. Deze opvoeding was een garantie voor later, een zekerheid dat men er nooit alleen zou voor staan, zelfs als men niet meer kon werken en geen geld meer had om eten te kopen.

Ahmed ervaarde wat zijn ouders hem altijd hadden voorgehouden. Naarmate men ouder werd, en wijzer, veranderden gevoelens. Hij begon andere accenten te leggen dan toe hij nog een straatkind was. Hij begreep dat je liefde en genegenheid voor je ouders op een andere manier toont als je tien jaar oud bent, en je vader en moeder ergens in de veertig, dan wanneer je 50 jaar bent geworden, en je vader en moeder ergens in de tachtig zijn. Ja, in de Assyrische gemeenschap wist men nog wat belangrijk was in het leven, wist men waarom men moeder zo eerde. Zij was de bindstof tussen de kinderen, de oplossing voor vele problemen, de vuurtoren die zijn licht werpt in woelige tijden over de oceaan van het leven. Ze was een houvast voor iedereen. Ze werd 'Daye' genoemd....

## Kinderen

En de huwelijken van Ahmed en Kemal werden gezegend volgens de aloude Assyrische tradities met mooie kinderen, een streling voor het oog, waarbij de fiere vaders zich nog meer verbonden voelden met hun familie. Ahmed kreeg drie zonen die hij Gabriël, Kemal en Baba liet dopen. De oudste noemde hij Gabriël verwijzend naar de aartsengel in wie hij geloofde als zijn grote beschermer. Hij werd geboren negen maanden na hun huwelijk, als vrucht van die bijzondere nacht die ze samen beleefden, toen de sterren toekeken hoe, ondanks de muur van verdriet, de wind van emotie de overhand had gekregen. Gabriël was er gekomen als bewijs van hun eeuwige liefde voor elkaar. De tweede zoon noemde hij Kemal als een eerbetoon aan zijn allerbeste vriend, die hij trouwens broertje noemde. Kemal werd geboren één jaar en één dag na Gabriël en was welkom in de kleine arbeiderswoning in het noorden van Antwerpen. Hij kondigde zijn komst aan met geschrei als trompetgeschal, zoals de engelen de gestorven zielen verwelkomen aan de hemelpoort, of was het misschien het geschreeuw van een kind dat de geborgenheid van de moederbuik moest verlaten? Kleine Kemal was welkom. De derde en jongste spruit werd door Ahmed, de fiere vader, Azo genoemd, naar zijn eigen vader, Baba, die ontroerd was toen hij het heuglijke nieuws had vernomen. Kleine Azo was de steen van vertrouwen in het huwelijk, een bewijs van grenzeloze liefde, een teken van hoop, een teken van nieuw leven binnen de Assyrische gemeenschap, een signaal dat God onoverwinnelijk was.

Kemal kreeg ook drie zonen, net als zijn beste vriend. De oudste noemde hij Stefan, de tweede noemde hij Ahmed, de derde kreeg de naam Sezgin. Soms werden er wel eens grapjes gemaakt over de beide onafscheidelijke vrienden en werkmakkers, die beiden in de Oranjestraat woonden, beiden drie zonen hadden, en bij dezelfde firma werkten. Gaston durfde al eens vragen of ze nog niet gehuwd waren samen, Ahmed en Kemal, en of ze nu nog wisten van wie die zes kinderen waren. Het was een grapje, meer niet, maar ergens toonden die zes jonge spruiten net de verbondenheid aan tussen de twee vrienden, die alles, maar dan ook alles met elkaar deelden.

Ze slaagden er in dat hun nageslacht werd geboren telkens enkele weken na elkaar, eerst werd Ahmed vader, dan Kemal, eerst kwam bij Kemal er een broertje bij, dan bij Ahmed. Telkens opnieuw moesten de beide families elkaar feliciteren en geschenken uitdelen, en de oude stamvaders lachten en grolden dat ze geen geld meer zouden hebben na al die feesten, maar toch bleven ze door de aanwezigheid van die jonge spruiten zelf levenslustig.

Aan de kleintjes van slechts enkele maanden oud lieten ze al foto's zien van hun verloren dorp, vertelden ze heroïsche verhalen over hetgeen gebeurd was in de bergen in het Zuid Oosten van Turkije. Ze leerden hun kleinkinderen wandelen op de paden van de Heer, en hadden het soms moeilijk ze 's avonds terug naar hun ouders te brengen. De grootvaders wilden hun kleinkinderen niet laten gaan, ze werden een tweede vader voor hen. De kinderen groeiden op, als jonge, lieve mensen zonder zorgen, ver van alle geweld en ziektes in de wereld, ver van oorlogen in bergen. Ze leerden Assyrisch van de grootouders, maar spraken hun eerste woordjes Vlaams onder elkaar. Ahmed en Kemal hadden het ook moeilijk. België was het beloofde land geworden voor de vele Hasnaye, maar voor hun kinderen die hier ter wereld kwamen, was dit soms een hel.
In zijn cel in de Leuvense gevangenis dacht Ahmed na over de vele problemen die hijzelf en zijn familie hadden moeten doorworstelen. Toen ze hier aankwamen kenden ze alleen Turks en Assyrisch, hun ouders spraken alleen Assyrisch. Goedbedoelende sociale werkers gingen met zijn vader en moeder naar allerlei officiële instanties om hun premies te laten uitbetalen, maar een Turkse tolk kon die ontheemden niet uitleggen wat ze moesten doen. De frustratie en het onbegrip zorgden ervoor dat alles moeilijker ging dan verwacht, maar het was de ideale voedingsbodem om ervoor te

zorgen dat men het volhield in de Nederlandse les die ze volgden. Al gauw sprak Ahmed vloeiend Nederlands, en op school lieten zijn broers en zussen zich ook niet onbetuigd. Maar zijn kinderen en die van Kemal hadden het veel moeilijker. De grootouders spraken alleen Assyrisch tegen hen, en probeerden hen te laten proeven van het leven van een dorp dat ze nooit hadden gekend, van een tijd die nooit zou terugkeren. Hun vriendjes hadden andere waarden, en Ahmed moest er telkens weer voor zorgen dat alle plooien bij een misverstand werden gladgestreken, en vooral dat zijn kinderen het waarom van een beslissing begrepen. Traditie werd hier immers ouderwets genoemd, en de taal was een probleem. Ja, soms had Ahmed schrik als hij dacht aan wat de toekomst zijn kinderen zou brengen, en nu... een toekomst zonder vader.

Maar na de geboorte van hun kinderen ging het leven toch verder in Antwerpen, en ondertussen werkten Kemal en Ahmed elke dag om een gezin te onderhouden, om verder vooruit te komen in deze maatschappij, die de hunne niet was. Ze hadden een Belgische identiteitskaart gekregen, maar waren er niet fier op. 'Wij zijn Assyriërs', verkondigden ze trots, maar het oudste volk ter wereld, dat heroïsche strijd had geleverd tegen de overheersing van de Egyptenaren, het Assyrië dat de weg naar het Goede probeerde te volgen, had geen eigen identiteit meer. Assyriërs bestonden niet, en zullen nooit meer bestaan, behalve in de harten van die vluchtelingen. Assyriërs werden statelozen, vluchtelingen, Belgen, Canadezen, naargelang hun situatie waarin ze terechtkwamen, duizenden kilometers verder weg van God en van de ark van Noah.

Maar toch gaven ze niet op, en elke dag opnieuw werkten Kemal en Ahmed verder aan een toekomst die ze nog niet kenden. Ze hadden een job gevonden bij een firma die aan het Damplein te Antwerpen zijn kantoren had. Deze firma die kleinschalige binnenhuisinrichting niet meer zag zitten, schakelde over naar grotere en mooiere projecten, en aldus waren Kemal en Ahmed de medebouwers van het Pirateneiland te Antwerpen. Ze hadden meegewerkt in een kale betonnen bunker, met de plannen voor zich, en waren vooral gemotiveerd als ze dachten aan die duizenden kinderhartjes die later sneller zouden kloppen. Ze hadden daar werkelijk al het vuile werk gedaan, en waren fier wanneer ze zagen hoe die kale plek groeide tot een kinderparadijs. De dag dat het werk af was, na een maandenlange strijd met stenen en cement, met hout en plastic, met verf en water, keken ze trots naar het resultaat. En ze verkneukelden zich al op de dag dat ze ooit met hun kinderen zouden komen, en zouden kunnen zeggen 'kijk, dat heeft papa voor jullie en alle kinderen van de wereld gebouwd'. En ze lachten bij die gedachte, en waren tevreden, blij omwille van het plezier dat zou komen wanneer door de jaren heen duizenden paren kinderogen zouden kunnen genieten van zoveel pracht en praal.

Ahmed en Kemal waren harde werkers, en regelmatig bleven ze ' s avonds nog uren doorwerken, zelfs als de rest van hun kameraden was gestopt. In het begin had Ahmed zijn vriend wel moeten aanporren, en het was zelfs zo dat het al eens gebeurde dat op maandagmorgen Kemal er niet was of veel te laat kwam. Gaston durfde dan wel eens met een grote mond vragen of 'het Belgisch bier dat Turkse manneke naar zijn hoofd was gestegen', maar op het ogenblik dat hij dat met barse stem vroeg, zag Ahmed aan de guitige ogen dat Gaston het niet kwaad meende. Ahmed moest denken aan al het plezier dat ze het voorbije weekend hadden gemaakt en glimlachte dan. Maar niemand van de andere arbeiders nam het Kemal kwalijk dat hij weer eens niet uit zijn bed kon, want Ahmed werkte dubbel zo hard, en 's avonds kon iedereen toch vroeg genoeg naar huis.
Waar de mannen uit Hassana altijd naar uitkeken was de middagpauze van een half uur. Een buffet was het dat ze telkens weer uit hun auto sleurden, met watermeloen, olijven, schapenkaas en zelfs af en toe heerlijke appelthee. Daar waar Gaston zich beperkte tot wat hij 'glazen boterhammen' noemde, en de anderen tot enkele sneden brood met gerookt vlees of kaas, was de honger van de Assyrische leeuwen niet te stillen, zonder dat hun magen al het heerlijks hadden geproefd dat hun vrouwen, hun keukenprinsessen, hadden bereid. Gaston en de andere arbeiders maakten grapjes als 'ze hebben een maag als een koe', en 'ze vreten als Turkse varkens, want Belgische varkens zijn zo niet', maar Kemal en Ahmed lieten het niet aan hun hart komen. Hun half uurtje tussen de middag brachten ze door, al zwijgend en kauwend, om opnieuw energie op te doen voor de rest van de dag. Vol bewondering keken de Belgen toe hoe soms één van die leeuwen naar boven klauterde, als een aap in een boom, springend van balk tot balk, zonder veiligheidsriem, maar toch alert op het gevaar dat er kon zijn. Ahmed verdiende 48.000 frank per maand, vierduizend frank meer dan Kemal. Ze hadden al berekend dat ze in het nieuwe jaar

veel minder zouden verdienen, zoals ze soms grapten, wanneer de Belgische Frank de plaats zou moeten ruimen voor de nieuwe munt Euro. Slechts 1.200 euro per maand, maar ja een brood zou dan ook minder kosten. En met één euro zouden ze in Hassana wel tien broden of meer hebben gekocht.

Naast het geld dat ze verdienden met het vele werk, hadden ze in België ook recht op kindergeld, en de Kerk gaf hen nog voedselpakketten en gratis filmtickets die waren bedeeld door de Vlaamse gemeenschap in het kader van een project voor kansarmen. Kemal begreep dit niet, Ahmed begreep het ook niet, in feite was dit Latijn voor elke Assyriër. Als je in Hassana werkte, dan verdiende je geld. Punt. Amen en uit. Maar hier, in België was alles anders, vanaf de dag dat ze aankwamen bij de dienst Vreemdelingenzaken te Brussel, en men hen vroeg welke nationaliteit ze hadden, en Baba had geantwoord 'Assyriërs'. Eerst dachten die ambtenaren dat ze uit Syrië afkomstig waren, maar Baba probeerde tevergeefs uit te leggen dat ze het oudste volk van de wereld waren. Toen begrepen die pennenlikkers het, dachten ze. 'Je bent een Turk'. Maar in feite was dat niet waar, maar het was als Assyriër niet mogelijk om begrip te krijgen voor de situatie. Het was een hopeloze strijd die gevoerd werd om erkend te worden als 'niet Turk', de regels waren hier anders. Wanneer je dan eindelijk een verblijfsvergunning kreeg als 'vluchteling' afkomstig uit Turkije probeerde je het beste te maken van je nieuwe situatie, ver van huis. De Assyriër probeerde in zijn nieuwe heimat een leven op te bouwen en keek uit naar een onderkomen, voor hem en zijn familie. En vervolgens zocht men werk. Maar België was een vreemd land, want hier kreeg je geld omdat je er geen werk vond. Maar meer nog, omdat je kinderen het gezin uitbreiden, had je ook recht op extra geld. En je oudere broers en zussen mochten gratis naar Kinepolis omdat dit paste in een 'integratieprogramma'. Ahmed begreep niet hoe het geweld in de aktiefilm 'Terminator' van 'Arnold Schwarzenegger' zou bijdragen tot de integratie en de verdere ontwikkeling van Nezir, Bilo, Sona of Fatma. Ook snapte hij niet dat je als niet werkende familie, dan maandelijks nog gratis melk en bloem mocht afhalen, zonder dat je iets hoefde te doen.

En regelmatig kwam ook de dominee langs met vers fruit. Schoolboeken waren gratis, in feite was dit een soort luilekkerland, hun nieuwe thuis. In Hassana hadden ze allen hard moeten zwoegen om enige welvaart van betekenis te verkrijgen, en vele grijsaarden hadden nog gesjouwd met bundels takken om iets bij te verdienen. In de oogstmaand bleven de kinderen thuis om vader te helpen, maar in dit liederlijke Vlaanderen was het allemaal anders. Ahmed vroeg zich zelfs af of het daarom was dat vele van die jongeren uit Antwerpen op de Turnhoutsebaan al met een mooie wagen konden rijden, terwijl hij zijn tweedehands BMW al vier jaar versleet. Gaston vloekte altijd als ze samen op weg waren en er weer een snotneus van achttien hen voorbij reed met een spiksplinternieuwe wagen van een bekend Duits merk. Hij vond het niet eerlijk, en Ahmed deelde zijn mening. Ja, zelfs hier, in het nieuwe vaderland bleek van alles verkeerd te lopen.

Het leven ging ondertussen zijn gang, en Ahmed werkte graag, want hij deed het voor Huzeya, voor zijn kinderen, die allemaal al een kleine spaarrekening hadden, en in feite ook voor Daye en Baba die hij af en toe iets toestopte. Was het niet immers de plicht van de kinderen om, als ze volwassen waren, verder voor hun ouders te zorgen, zoals zij voor hen hadden gezorgd?

Toch was het in het begin niet allemaal rozengeur en maneschijn geweest in het nieuwe beloofde land. De welvaart, de geldzekerheid, de nieuwe vrienden hadden niet kunnen vermijden hetgeen later was gebeurd, zat Ahmed te overpeinzen.

In Baba, zijn vader, was hij door de jaren heen sterk ontgoocheld geraakt. Hij was niet meer de reus, de kolos van het Assyrische gebergte. Baba was anders geworden. Sedert enkele maanden ging hij niet meer naar de kerk in de Lange Winkelstraat, en het gerucht ging in de kleine gemeenschap dat hij de meisjes van plezier had ontdekt in Antwerpen. Steevast vertelde hij aan Kebani, zijn vrouw, dat hij ging ‘wandelen’, maar buren en vrienden zagen hem bij de schaars geklede dames, en sommigen hadden hem zelfs een hotel zien binnengaan in een zijstraat van het Sint Jansplein te Antwerpen, hand in hand met een veel jongere dame wiens schaarse kledij niets aan de verbeelding overliet. Zij die hem zagen wisten ook dat hij er niet was binnengegaan om over zaken te spreken. Het was zelfs zo dat Baba soms op onverklaarbare wijze verdwenen was, en pas ’s avonds laat terugkwam, zonder geld, met een gekreukeld hemd. Nors kroop hij dan in bed zonder iets te zeggen aan Daye, die stilletjes onder de lakens haar tranen de vrije loop liet.

Baba dronk niet, maar het viel meer en meer op dat hij steeds agressiever werd. Hij werkte niet, en bleef tot twaalf uur 's middags in bed liggen. Hij bekommerde zich niet om de schoolresultaten van zijn eigen kinderen en weigerde om ook maar één woord Nederlands te spreken. Hij vergat bewust om naar de mis te gaan, en via vrienden van hem die hem hadden opgestookt, probeerde hij bij de ziekenkas om als invalide door het leven te gaan. Ja, zelfs die twee maal per maand dat hij moest stempelen vond hij te veel. Het westerse model van de samenleving had hier een verkeerde invloed gehad, zoveel was duidelijk. Een fiere bergbewoner verloor zijn normen en waarden, waarvoor hij vroeger gevochten had, en ging zich meer en meer wentelen in een patroon van luiheid en decadentie.

Ahmed zag met lede ogen aan dat al het werk op de frêle schouders van Daye terecht kwam. Zij zorgde voor het eten, het huishouden, de aankopen, maar ook voor de zwaardere karweien zoals de gang schuren, schilderen en plafonds afwassen, zaken die normaal op de schouders van Baba waren terecht gekomen. Hij was niet meer de steunpilaar van de familie, maar eerder een gewicht dat drukte op het gemoed, het budget, de gezondheid van allen. De fiere boer uit de bergen van Hassana was omgevormd tot een spierloze vetmassa, dat zich meer en meer specialiseerde in het leegzuigen van de fondsen die hem door de Belgische staat ter beschikking werden gesteld. Baba was een machine geworden die geen zin meer had om te werken. Meer en meer verloor hij het geloof in de maatschappij, maar ook het geloof in zijn eigen kunnen. Hij werd een paria binnen de eigen familie. Vele buren, vrienden en kennissen uit Assyrische kringen kwamen roddelen dat ze hem weer eens gezien hadden, terwijl hij de helft van het OCMW geld in twee nachten vergokte in een klein café in de schaduw van het Stuyvenbergziekenhuis. En als het laat werd en de donkere nacht de zon verdreef, en er een teken was voor een andere wereld om te ontwaken, dan pas werd Baba gesignaleerd. Hij verspeelde geld, en waardigheid, gokte dat het een lieve lust was, en soms won hij, maar hij verloor meer en meer, en werd nukkig. Het was nooit zijn schuld, altijd de schuld van anderen dat er geen geld meer was. Hij ging op stap met de BMW van zijn ene schoonzoon, een dertigjarige luiaard die nog nooit had gewerkt, en dit waarschijnlijk ook niet van plan was zolang hij zich kon wentelen in de geneugtes van de hedendaagse maatschappij. Deze dertiger, eveneens uit Hassana, zag zijn nieuwe vaderland als één grote melkkoe, waarbij zijn levensdoel was om er zoveel mogelijk profijt uit te halen. En ja, zelfs de dominee begon er over te praten, hij begon zelfs vragen te stellen aan Daye en de kinderen. Waar waren de waarden bij Baba heengegaan, die waarden die de Assyriërs in het verleden zo groot en fier hadden gemaakt?

## Op zoek naar veiligheid

En het werd winter 2001. De beide Assyrische families kregen hun grote en kleine problemen, vreugde en verdriet wisselden elkaar af. Antwerpen was uitgegroeid tot een gewelddadige metropool, waar de moordbrigade van de Federale Politie meer werk had dan hun lief was. Het zag er naar uit dat er dat jaar 36 moorden met onbekende dader zouden zijn geweest. De speurders in de te krappe kantoren aan de Mechelsesteenweg rekenden bij dat enorme getal, daar de zogenaamde huis, keuken – en tuinmoorden niet bij. Vele van de moorden in 2001 waren opgelost, en bijna altijd hadden ze te maken met eerder gepleegde criminele feiten zoals drugshandel of wapenverkoop. Antwerpen werd een tweede Bronx, een Chicago aan de Schelde, en stak allang Brussel naar de kroon, wat betreft de twijfelachtige eer, de gewelddadigste stad van België te zijn.
De sectie Geweld op de Boomsesteenweg verzoop tussen de home - en carjackings, en het werd steeds duidelijker dat de daders driester en driester te werk gingen. Ook deze speurders bleven geloven dat ze ooit het tij zouden konden doen keren, maar ze bleven gevangen in een keurslijf van de te trage ambtenarij, en roeiden dan maar met de riemen die ze hadden, ondersteund door motivatie en beroepsfierheid.

De fiere metropool in Vlaanderenland ging ten onder aan de eindeloze spiraal van geweld en verdoemenis. Elke dag was er wel ergens in de stad een schietpartij, een moord of een diefstal met geweld. Angst en een gevoel van onveiligheid beheerste het leven van de eens zo fiere Antwerpenaar, en vele oudjes kropen 's avonds dichter bij elkaar in bed, maar niet vooraleer ze nog maar eens gekeken hadden of alles goed op slot was. Elke dag was het voor velen een pijnlijk ontwaken als ze die sporen van inbraak opmerkten, of als ze hun voertuig niet meer terugvonden op de vertrouwde parkeerplek. Weer hadden de dienaars van de hel toegeslagen. De inwoners verloren hun vertrouwen in de maatschappij, en zelfs Ahmed had een vreemd gevoel gekregen.

Voor het eerst in zijn leven voelde hij dat hij en zijn familie niet meer zo welkom waren. Hij begon te ervaren wat racisme was, meer nog, hij werd het slachtoffer van feiten die door anderen werden gepleegd. Niemand zei iets, maar de blikken vol haat op de tram als ze op vrijdagavond van taverne Sint Jorishof terugkwamen, spraken boekdelen.

De tramchauffeur keek niet meer in zijn ogen als Ahmed betaalde, maar draaide zijn blik weg, en controleerde tot twee maal toe of hij wel juist had betaald. Werner, Anneke en Steve waren niet veranderd, maar toch ervaarde hij dat er meer gezwegen werd over de wereldproblematiek als Ahmed er bij was. Daye en Baba zeiden niets, maar Ahmed kon voelen dat ze in hun binnenste hetzelfde voelden als hun zoon. De haat stak overal de kop op in de stad aan de Schelde, en al vlug werden alle vreemdelingen over één kam geschoren. Het feit dat de Hasnaye eerlijke en Christelijke burgers waren, die door hard te werken vooruit kwamen in het leven, was niet meer van belang. Meer en meer voelden ze de hete adem van het veelkoppige monster dat 'racisme' en 'onbegrip' heette. Of was het een drang tot zelfverdediging, zelfbehoud van die Vlamingen die hun gastheren waren?

In diezelfde periode was zijn jongste broer, Nezir, eens thuis gekomen, wenend, met een grote scheur in zijn nieuwe vest. Een onbekende had geroepen naar hem, dat het een schande was dat hij, als vreemde, niet hoefde te betalen op de tram, en de werkende mens wel, en voor hij het wist had hij een duw gekregen. Iedereen had gekeken, maar niemand had die kleine Nezir geholpen. Toch dacht Ahmed aan het feit dat hij zelfs in die moeilijke periode steun had gekregen van vrienden, en in feite van iemand die het nooit moeilijk vond om te verkondigen dat alle vreemdelingen maar best konden opkrassen, namelijk zijn beste vriend Gaston. De vereenzaming van de mens, het tekort aan sociale identiteit had als gevolg dat bitterheid en vijandigheid in Antwerpen opwelden, tegenover mensen die ofwel beter in de sociale weefsels opgevan-

gen leken, of die een etnische sociale identiteit uitstraalden, waartegenover men zich dan ook zelf sterk ging affirmeren.
Hij had hierover met Gaston over gepraat, want die was toch een Vlaming, een fiere Sinjoor en een vriend van hem. Ahmed begreep niet ten volle wat er allemaal gebeurde. Hij vroeg zich af wat de oorzaak was van het toenemende onbegrip, en de gevoelens van haat van onbekenden tegenover zijn persoon en zijn volk. Hij had Gaston geconfronteerd met zijn gedachten, met het gevoel dat hem en zijn familie de laatste tijd bekroop, en hij had zelfs rechtuit aan zijn werkmakker gevraagd of die ook een racist was die alle vreemdelingen haatte. Gaston had geantwoord dat hij zich geen zorgen moest maken voor de toekomst, dat ook de andere mensen wel het verschil zagen tussen zijn familie en de bendes die de wijken terroriseerden. ‘Gij zijt nen braven, maar die Oostblokkers, die maken alles kapot. Weet ge dat onze regering dat ook weer niet wil zien. Het wordt tijd dat we eens ne goeien burgemeester hebben, iemand die eens zijn bezem wil bovenhalen om al dat krapuul er uit te borstelen’. Ahmed knikte dan maar, goed wetend dat Gaston geen tegenspraak duldde als het over de wijze dingen van het leven ging.

Maar toch was er iets veranderd in het leven van de fiere bergzoon uit Hassana. Ahmed merkte ’s avonds zelf ook meer en meer dat hij zich niet op zijn gemak voelde, en telkens weer zei hij aan Huzeya dat ze niet alleen het huis uit mocht. Neen, hij wilde haar niet controleren zoals in vele Turkse en Marokkaanse gezinnen wel gebeurde, maar na al die verhalen over onveiligheid en toenemend geweld die hij had gehoord, wist Ahmed dat ‘het beloofde land’ toch niet in Antwerpen lag.

De moderne mens begon zich te gedragen als holbewoners, als primaten, de oude waarden waren verdwenen en hadden plaats gemaakt voor egoïsme en hebzucht, allemaal zaken die in Hassana niet bestonden. Op twaalf december 2001 kwam er een keerpunt in het tot dan toe relatief rustige bestaan van deze nieuwe Sinjoren uit Turkije. Die avond was Ahmed na het werk omstreeks 18.00 uur thuisgekomen, en hij zat te genieten van het gezang van Huzeya en de kinderen, zijn oogappels, die aan het spelen waren in de slaapkamer. Er werd plots hard aangebeld in de Oranjestraat, tot drie maal toe. Een opgewonden Kemal stond in de deuropening samen met een jongere allochtoon van ongeveer achttien jaar, die hij kende onder de naam Abdullah. Deze laatste was een Turk uit Bursa, geen Assyriër zoals zij, maar hij woonde ook in Antwerpen, in de grauwe Van Kerckhovenstraat, een straat die meer en meer een getto werd. Regelmatig zagen zij elkaar in de club Çorum.

Abdullah tierde en vloekte dat het een lust was, en Kemal probeerde hem tevergeefs tot bedaren te brengen. Ahmed liet de twee vrienden in zijn woning, en probeerde Abdullah uit te leggen dat het niet paste in aanwezigheid van kinderen te vloeken, Als een oudere deed hij er alles aan om hem tot rust te brengen. Na een verkwikkende tas appelthee werd de jonge volwassene iets kalmer. Samen met Kemal begon hij Ahmed en Huzeya de reden van zijn boosheid uit te leggen, in een ratelend Turks, daarbij druk gesticulerend met zijn beide armen.

Die namiddag omstreeks 16.00 uur had hij voor het rode licht in de Gemeentestraat in Antwerpen stilgestaan, in zijn spiksplinternieuwe Mercedes waarvoor hij zo had gespaard, na vijf jaar hard werken. Het was reeds een kinderdroom geweest, en toen hij dertien jaar was had hij zijn eerste centen verdiend met de auto van zijn oom te poetsen. Elke week had hij zijn spaarvarkentje aangedikt, totdat zijn wens in vervulling was gegaan, precies op zijn verjaardag. Zijn auto was zijn God geworden, en zoals elke dag had hij er weer een toertje mee gemaakt. Drie personen van Oost Europese origine, Albanezen of Kosovaren volgens Abdullah, hadden het portier geopend, hem met een fonkelend groot pistool bedreigd en vervolgens uit de wagen gesleurd. Eén van de aanranders had plaats genomen achter het stuur en was met de wagen weggereden. De andere twee waren als hazen gaan lopen richting van de IJzeren Brug. Er waren tientallen getuigen aanwezig geweest, maar niemand had de moeite gedaan om ook maar één poot uit te steken. Dat was Antwerpen in de éénentwintigste eeuw, de fiere metropool, waar schrik en onverschilligheid heer en meester waren. In de wagen had Abdullah juwelen liggen, die hij gekocht had voor zijn vrouw, en die waren nu ook verdwenen. De jonge kerel zei het met een krop in zijn keel. Hij vertelde ook dat hij die avond bij een neef van Kemal een wapen zou kopen, en Kemal beaamde dit. Abdullah vroeg aan Ahmed of hij niet mee wilde gaan naar de woning van Gündüz, die neef van Kemal. Die woonde eveneens in het Noorden van Antwerpen, in de Gasstraat, schuin over het oude politiebureel, enkele minuten van de Oranjestraat.

Het was een slechte omgeving, vol criminelen, een getto volgens vele Antwerpse bejaarden, die door de jaren heen de volledige buurt zagen verloederen. Eerst huiverde Ahmed, maar toen hij weer aan die onveiligheid dacht in de buurt, de inbraken en overvallen, aan zijn kinderen, zijn vrouwtje Huzeya, nam hij een beslissing. Hij ging mee naar die neef. Trouwens, hij was een man, en kijken kostte geen geld. Het was niet omdat hij er bij was dat hij een wapen moest kopen. Kemal en Abdullah vertrokken, deze laatste zichtbaar gekalmeerd en de mannen spraken af dat ze, als het buiten donker was, zouden terugkeren om Ahmed op te halen. Ahmed knikte, en tegen Huzeya vertelde hij alleen dat hij voor zaken weg moest naar de stad. Die avond vertrokken ze om tien over negen met de auto van Ahmed. Het was inderdaad donker buiten, de wolken hadden de sterren verdreven en het regende pijpenstelen. De druppels zorgden voor bellen op het donkere asfalt, en telkens als één van de voorwielen een put in de weg raakte, schrok Ahmed wakker uit zijn overpeinzingen. Het was ook alsof God zelf zich er mee ging bemoeien. De straten van deze grauwe Antwerpse buurt waren leeg. In tegenstelling met andere avonden, wanneer op elke hoek van de straat groepjes allochtonen stonden te staren naar voorbijrijdende wagens, was er nu niets te zien. Nu waren de straten leeg op één enkele dealer van heroïne, of één enkele junkie na. Zelfs de zwerfkatten toonden zich niet. Het geheel, de sfeer voelde beklemmend aan, en de duisternis was als een deken over de aarde gevallen, als een voorbode van het onheil dat de Assyrische gemeenschap zou verscheuren.

De drie jonge mannen kwamen aan in de Gasstraat, en belden aan bij het nummer 66. Was het toeval? '666' was het teken van de Duivel, de Boze, het Onaardse, betekende '66' misschien het begin van het einde, een teken van nakend gevaar? De woning van Gündüz was een gesloten bebouwing met twee verdiepingen en een plat dak, zo een typisch bakstenen huis daar in de buurt van het Stuyvenbergplein. De straat werd verlicht door straatlampen die met hun oranje licht voor een lugubere sfeer zorgden. Niemand was te zien op dat onzalige uur in de duisternis. In de verte loeide een sirène van een eenzaam politievoertuig dat zich waarschijnlijk weer naar een dringende oproep spoedde, in één van de donkere uithoeken van de toch majestueuze havenstad die Antwerpen is. Toen Ahmed op de belknop duwde, kromp hij zowaar ineen van het schelle gerinkel dat klonk als een waarschuwing. Gündüz, de neef van Kemal, opende na een vijftal seconden de voordeur. Het was een zesentwintigjarige Assyrische volbloed uit Hassana, die ook al jaren in deze buurt in Antwerpen woonde, na omzwervingen door Frankrijk en Duitsland. Hij was gehard, en zijn donkere, ravenzwarte ogen als kolen, straalden kilte uit. Hij observeerde de mannen die buiten op straat stonden, en voor hij hen binnenliet, monsterde hij de buurt om te zien of er toch geen flikken in de buurt waren. Gündüz was sportief gekleed in een zwarte jeansbroek en een wit hemd, en met zijn glimmende zwarte halfhoge laarzen erbij, voelde men de autoriteit die uitging van deze jongeling die reeds vele watertjes had doorzwommen. Ahmed voelde zich niet zo op zijn gemak bij hem, want het gerucht deed de ronde dat Gündüz in Duitsland problemen had gemaakt omwille van een jongen die verliefd werd op zijn jongste zusje. Hij had de eer van de familie gered, fluisterde men, en iedereen wist wat dit betekende. Er kleefde bloed aan de handen van Gündüz, en wat er ook exact was gebeurd, iedereen zweeg.

'Namus'en 'Seref' beslisten soms over leven en dood. Een voor niets wijkende solidariteit van de Assyrische gemeenschap zorgde ervoor dat deze man alleen later voor Gods rechtbank verantwoording zou moeten afleggen voor wat er gebeurd was, in naam van de eer.

Gündüz, de neef van Kemal, liet hen binnenkomen in zijn woning. Hij troonde hen mee naar de eerste verdieping, waar de woonkamer zich bevond. Ahmed, Kemal en Abdullah begroetten er Merjan, de vrouw van Gündüz die met de twee zoontjes van vier en twee aan het spelen was. Na enkele beleefdheden te hebben uitgewisseld, verdween Merjan uit de woonkamer, gevolgd door de twee kinderen. De kamer, drie meter bij vier, lag aan de kant van de Gasstraat, en oogde gezellig. Het gesloten rolluik hield de oranje gloed van de straatlantaarns tegen, en het getik van de regen zorgde zowaar voor een ritmisch geluid. Het was er warm, zeker 23°C, en er lagen wollen, handgeknoopte tapijten. De lage zitbanken stonden in een vierkant, en in het midden stond een lage, houten, ronde tafel, waarop een rieten mand geplaatst was, vol met lekkernijen zoals kiwi's, granaatappels en peren. De mannen installeerden zich, en in afwachting van de komst van Merjan met appelthee en zoetigheden, spraken ze over hun families, hun vrienden, hun dagelijkse kleine en grote problemen. Nadat Merjan met een glimlach de kleine glaasjes thee op een dienblad geschikt, had gebracht en er voor had gezorgd dat de Turkse 'baklava' en pindanoten, eveneens op de tafel belandden, trok ze zich terug in de kleine keuken, wetend dat de mannen zaken te bespreken hadden.

Nu zaten ze daar alleen met hun gedachten, vier volwassen mannen, voor zich uitstarend en zwijgend, opgesloten in hun overpeinzingen, Abdullah en Ahmed, Kemal en Gündüz, vier Assyrische lieden, ver van huis, in een donkere, grauwe, onveilige wereldstad, luisterend naar de regendruppels die als kleine steentjes tikten tegen het rolluik. Na een minuut durende stilte schraapte Gündüz zijn keel, als een teken dat hun vergadering geopend werd. Met gedempte stemmen, als dieven in de nacht, bespraken de mannen het probleem van de onveiligheid, en met afschuw dachten ze terug aan al die negatieve ervaringen die zijzelf, hun families of hun vrienden hadden beleefd, in die laatste jaren dat ze in Antwerpen woonden, duizenden kilometers verwijderd van hun geboorteland. Nu was voor Gündüz de tijd aangebroken om uit te leggen wat ze er konden aan doen, om te tonen hoe ze weer heer en meester in de straat konden worden, hoe ze hun wijken opnieuw konden veroveren op die criminelen, hoe ze hun gezin, hun woning met hand en tand, desnoods tot bloedens toe konden verdedigen. Het uur van de wraak, maar ook het uur van de opstand tegen het onrecht was aangebroken.

Gündüz stond langzaam op, en zijn rijzige gestalte maakte zoals steeds indruk bij zijn neef Kemal en de andere bezoekers. Statig liep hij naar het bruine dressoir met vier deuren dat in de living tegen de lange muur stond opgesteld. Niet de pronkerige vazen of het Christusbeeld waren zijn doel, maar wel een kleine, blauwe platte doos, die hij vanachter een stapel kindertruien haalde, welke verstopt waren achter de uiterst linkse deur van het dressoir. Ondanks het feit dat Ahmed wist waarom ze hier waren, schrok hij toch bij het zien van het zwartglimmende pistool dat Gündüz uit die doos haalde, en hen met een trotse blik liet aanschouwen. Het kleine monster van staal had een korte loop, en Gündüz verduidelijkte dat het kaliber 7,65 mm was. Allen hadden ze, als snotneuzen, in het verre zuidoosten van Turkije genoeg ervaring gehad met wapens, door de steeds voortdurende aanwezigheid van Turkse militairen in de buurt, en ze beseften maar al te goed dat een kleinood als dit dood en verderf zaaide, en kon zaaien in vele families. Het was een monsterlijk tuig, geschapen door de handen van de mensen, eeuwen geleden, met als oorspronkelijk doel, net zoals zovele andere wapens, te helpen in de voorziening van het levensonderhoud. Maar de jacht op dieren ontaardde door de eeuwen heen, in een jacht op mensen onderling, met of zonder reden, en jammer genoeg was bij velen onterecht het gevoel van overheersing en macht gekomen, iets dat heerste over leven en dood, over de schepping van de Heer.

Het pistool ging in de woonkamer van hand tot hand, en allen kregen ze toch een beklemmend gevoel. Het duivelstuig paste wonderwel in de kolenschoppen van handen, van die vurige strijders die verenigd waren, daar op de te lage zitbanken van een arbeiderswoning in de Seefhoek. Daar waar vroeger een nummer was geslagen dat de herkomst van het wapen kon bewijzen, was nu niets meer. Een glimmend vlak had dit nummer vervangen. Ahmed besefte dat hierover geen vragen moesten gesteld worden. Het wapen rook naar de wapenolie waarmee kwistig te werk was gegaan om het optimaal te bewaren. In die doos zaten ook nog twee laders, elk voorzien van tien kleine patronen, die een koperen glimmende kop hadden. Enkele centimeters metaal kon zoveel kwaad doen, had de mogelijkheid om een wonderlijke schepping vernietigen. Gündüz keek rond. 'Tienduizend frank' zei hij, of 250 euro. Voor dat geld was alles voor de nieuwe eigenaar. Niemand vroeg hem waar hij het wapen vandaan haalde. Niemand vroeg hem of hij het al ooit gebruikt was, en niemand daar aan die ronde lage tafel wist, of dit kleinood aan de basis lag van het duistere geheim in Duitsland, waar de eer van de familie werd gewroken. Het besluit van Abdullah stond al lang vast. Zijn ogen hadden elke beweging van Gündüz nauwlettend gevolgd, toen hij als een sluipend roofdier naar de kast was gelopen, en met een achteloos gebaar het wapen tevoorschijn had getoverd. Abdullah trok zijn portefeuille met een zwier. Hij had het schiettuig gemonsterd en goedgekeurd, en wist dat het over enkele ogenblikken van hem zou zijn. Wapen en geld wisselden van eigenaar, en een handdruk bezegelde de verkoop.

Ahmed keek ademloos toe, en in zijn hart was twijfel gezaaid. Gündüz keek hem doordringend aan, en hij zag hoe duizenden gedachten op diens gezicht weerspiegeld werden door de diepe rimpels en een zenuwachtig lachje. Het was waar, Daye had Ahmed altijd geleerd dat één van de geboden van God was dat je niet mocht doden.

'Heb je vijanden lief', was hem altijd ingeprent door Baba, maar in deze omstandigheden hadden ook Abdullah, Gündüz en Kemal gelijk als ze stelden dat er iets moest gebeuren. Ahmed besefte dat een mensenleven meer waard was dan 250 euro, de prijs voor een pistool en bijhorende patronen, maar hij zag ook in dat hij nu in staat zou zijn om vrouw en kinderen te verdedigen in geval van nood. Stel dat gewapende dieven zijn woning zouden binnendringen, dan zou hij nu de mogelijkheid hebben om weerwerk te bieden, om hen een gepast antwoord te geven. Nog even twijfelde hij, wanneer de beelden weer voor hem opdoemden van al het ongeluk, het leed en het verderf dat hij had gezien in Hassana, jaren geleden. Nog even twijfelde hij, als hij dacht aan de Christelijke waarden die hij altijd had meegedragen diep in zijn hart. Maar toen, 'waarom' besefte hij zelf niet, brak zijn weerstand. Hij knikte, een klein, bijna onmerkbaar gebaar met zijn hoofd, een teken dat ooit zou beslissen over leven en dood. Nog even dwaalden zijn gedachten af naar Huzeya die ziedend zou zijn als ze het pistool zou zien. Hij zou haar morgen wel uitleggen wat de reden was geweest. Eerst moest hij het verbergen. In zijn woning zou hij wel een plaats vinden waar hij het pistool kon wegstoppen, ver weg uit de buurt van de grijpgrage handen van zijn bloed, zijn kinderen, zijn toekomst. Het waren problemen voor later. Nu zouden de mannen nog bijeen blijven in de knusse woonkamer, en genieten van de verse appelthee.
Het was al na middernacht toen Abdullah en Ahmed afscheid namen van Gündüz, en ook van Kemal die bij zijn neef zou blijven slapen. Ze reden terug naar huis door de donkere straten van Antwerpen. Er werd geen woord meer gewisseld, en met een wrang gevoel zette Ahmed zijn vriend Abdullah af voor diens woning, gelegen in de Lange Ypermanstraat. Via het Stuyvenbergplein reed hij naar huis terug. Hij had alleen het wapen en de laders met bijhorende patronen bij zich, de doos had hij in de woning van Gündüz gelaten. Ahmed parkeerde zijn wagen in de straat, en liet het wapen in het handschoenvakje liggen. Nu durfde hij het nog niet mee te nemen, eerst moest hij met Huzeya praten. Stel je voor dat ze nog wakker was, en ze zag hem binnenkomen met dat oorlogstuig in de hand. Ook zij had herinneringen aan Hassana,

aan de soldaten die in hun opmars naar de strijd tegen de Koerdische rebellen van de P.K.K. bleven overnachten. 's Avonds bij de kampvuren waren de soldaten vriendelijk, en aaiden ze de jonge kinderen over het hoofd. Huzeya had regelmatig wapens gezien, en haar jongste broertje was al eens heel fier naar haar toe gekomen, pronkend met een geweer dat hij van één van de 'bevrijders' mocht vasthouden. Ahmed wilde niet dat zijn lieve vrouwtje schrok, en daarom had hij het wapen in de auto achtergelaten, voor die ene nacht. Hij sloop de krakende trap op, en keek in de slaapkamer glimlachend naar zijn beeldschone echtgenote die in dromenland was. Hij was vertederd bij het zien van de rust die zij uitstraalde, en kroop in bed dicht tegen haar aan, als het ware op zoek naar bescherming en geborgenheid, zoals een jong in de schoot van zijn moeder. Ahmed kon niet direct de slaap vatten. Zijn gedachten waren bij Abdullah, Gündüz en Kemal, maar vooral bij het zwartglimmende pistool dat hij opgeborgen had in het handschoenvakje van zijn wagen, die geparkeerd stond in de Oranjestraat te Antwerpen. Het wapen, dat hij had binnengebracht in zijn eigen leefgemeenschap, als een paard van Troye, in een wereld waar naastenliefde, vrede en geweldloosheid belangrijker waren dan materiële zaken, die onze westerse consumptiemaatschappij overheersten, was een last, een probleem. De twijfel sloop in zijn hart, 'waarom heb ik het gekocht?' Met die gedachte ging hij slapen, met die gedachte zou hij nog vele keren wakker worden....

## Het verdriet van Daye

Het werd zaterdagmorgen. Het was de tweede zaterdag van januari 2002. De kerst – en nieuwjaarsperiode was sereen verlopen, een komen en gaan van vrienden en familie, een sfeervolle bedoening. Huzeya wist, als enige van de clan, wat Ahmed zich een paar weken ervoor had aangeschaft, maar als een goede huisvrouw zweeg ze. Het was iets dat Ahmed moest weten, maar vooral iets waar hijzelf mee in het reine moest komen. Huzeya was niet gelukkig met het pistool, maar de wil van de man was wet.

Alles was rustig in de woning van Ahmed, gelegen in de Oranjestraat te Antwerpen, in een buurt waar de Vlamingen verdreven waren door een allochtone gemeenschap, een culturele smeltkroes van illegalen, asielzoekers, economische vluchtelingen en gelukzoekers. Het was negen uur, en samen met zijn lieftallige vrouwtje en de kinderen was hij opgestaan. De regen van de voorbije dagen had plaats gemaakt voor een flauwe waterzon, die haar best deed om de eerste stralen op de aarde af te vuren. Moeder natuur deed haar best, en in die sfeer die rust uitstraalde, wachtte Ahmed op zijn lievelingszus Fatma, en op Daye, zijn moeder, 'de knapste vrouw van heel de wereld', zoals hijzelf immer zei. Straks zouden ze samen gaan winkelen. Ahmed was de enige in de familie die een auto bezat, en zoals het Assyrische volk gewend was dat de oudste zoon klaar stond voor zijn ouders, zo bleef ook hier deze traditie in het grauwe Antwerpen verder leven. Bezit was niet belangrijk en werd gedeeld. Het was belangrijker om iemand een plezier te doen, dan om alleen te profiteren van een zekere welstand. Daarom was het voor Ahmed veel belangrijker om ten dienste te staan van anderen, in de eerste plaats van zijn familie, en hen te helpen daar waar het kon. Zo was die stilzwijgende afspraak tot stand gekomen, dat elke zaterdagmorgen Fatma en Daye om half tien stipt in de Oranjestraat arriveerden om boodschappen te doen. Wees gerust, het was altijd Fatma die wel ergens een nieuw warenhuis wist, of ergens een plaats waar de groenten volgens haar beter en goedkoper waren, zelfs als dit in werkelijkheid niet zo was. Maar Ahmed was blij met een familie zoals de zijne, en genoot van het samenzijn.

Ondertussen, in de grauwe kilte, die vrijdag in de cel in de hoofdgevangenis van Leuven Centraal, dacht Ahmed aan het geluk dat hij nu moest ontberen, aan de vele momenten van eenzaamheid en verdriet die nu zijn deel waren. In de verte hoorde hij het geluid van een telefoon die overging. Ergens rammelde een sleutelbos, en hij hoorde het gelach van twee bewaarders op ronde. Die geluiden deden hem mijmeren, wegdromen in zijn eigen kleine wereldje. Hij dacht aan het gerinkel van de bel, drie maal kort en twee maal lang, wanneer Fatma op een zaterdagmorgen haar komst aankondigde, samen met Daye. Morgen zou het weer zaterdag zijn... en zijn gedachten keerden terug naar die zaterdag in januari 2002 toen Daye....

Drie maal kort, twee maal lang. De bel, die het teken was dat er bezoek voor de deur stond, rinkelde. De bel die Ahmed in de cel van de gevangenis te Leuven Centraal niet meer hoorde, deed haar werk, die zaterdag in januari 2002. Drie maal kort, twee maal lang, het teken van het kinderlijke, het speelse in Fatma, het onbesuisde, het grappige in feite. De volwassen Fatma die in Antwerpen bij haar broer nog aan belletje trek deed, als teken van haar goede humeur, haar enthousiasme, haar levenslust. Als zij lachte scheen de zon. Haar ogen schitterden als sterren aan de hemel, haar aanwezigheid deed menig mannenhart sneller slaan. De deur zwaaide open, en goedkeurend keek Ahmed naar zijn kleine moedertje, zoals gewoonlijk gekleed in een lang zwart kleed, en daarboven een dikke grijze, wollen winterjas, die haar moest beschermen tegen de gure noordenwind en de ijzige vriestemperaturen. Fatma had haar blauwe jeansbroek aan, daarboven een rode slobbertrui, en was voorzien van een grijze wollen muts en dito handschoenen. Ze neuriede: 'Anne', één van de vele liedjes van haar lievelingsgroep Clouseau. Ondanks het feit dat iedereen vond dat ze zo vals zong als een kat, was Fatma ervan overtuigd dat God haar voorzien had van een engelenstem, en dat haar gezang weerklonk als het lied van de nachtegaal.

Daye en Fatma kwamen de rijtjeswoning binnen, en onmiddellijk was het een gekwebbel, een geroep en gelach, als op een veiling ergens op de Vrijdagsemarkt te Antwerpen. Ahmed ging naar buiten en liet de motor van de wagen stationair draaien, om ervoor te zorgen dat, als straks hij, Fatma en Daye wegreden, het toch behaaglijk warm zou zijn. Klokslag tien uur vertrokken ze gedrieën via de Van Kerckhovenstraat en het Sint Jansplein naar de zaterdagmarkt, ook wel de 'Marokkanenmarkt' genoemd.

Volgens vele Antwerpenaren was deze markt uniek in België. Gelegen op de alom gekende Vogeltjesmarkt, in de schaduw van de Theaterbuurt, stalden elke zaterdag van zes uur 's morgens tot vier uur in de namiddag tientallen handelaars hun groenten en fruit uit in soms kramakkelige kraampjes. Het unieke, het sympathieke, maar vooral het bijzondere van deze markt was, dat hier de handelaars geen Vlamingen waren, maar Turken, Marokkanen, Italianen, Spanjaarden die elk hun eigen waren probeerden te slijten. En de vele Sinjoren, aangevuld met inwijkelingen en Nederlanders die een dagje Antwerpen aandeden, genoten met volle teugen van de Oosterse sfeer die er heerste. De granaatappels uit Assyrië werden geproefd, terwijl men vol bewondering keek naar de bergen verse dadels en vijgen uit Marokko. Net zoals in die landen waren de olijven mooi geschikt als kleine piramides, en er waren tientallen soorten. De geuren van de verschillende kruiden mengden zich met die van het versgebakken Turkse brood dat aangeboden werd, en in de enige viskraam die uitgebaat werd door twee Marokkaanse broers uit Brussel, kon men zich vergapen aan soorten vis die men hier niet kende. Het was telkens weer een gezellige bedoening.

Fatma slenterde, aan de arm van haar grote broer hangend, over deze markt die romantiek uitstraalde, en ze keek haar ogen uit. Daye stond af en toe stil om te praten met andere Assyrische vrouwen die net als zij hun grauwe buurt in het Noorden van Antwerpen hadden verlaten, om verpozing te zoeken tijdens de jacht naar koopjes en voedingswaren uit hun thuisland. Ahmed moest glimlachen om wat er rond hem gebeurde. Als Daye twee kilogram granaatappelen vroeg, dan vond Fatma dat te weinig en steevast vroeg ze er twee kilogram bij. En twee soorten olijven waaren niet genoeg, er moesten drie soorten zijn. Zo ging het een uurtje door, en tegen half twaalf keerden ze terug naar de wagen, beladen met zakken vol verse groenten en fruit. Als gewoonlijk zette Ahmed alles in de kofferbak van zijn auto, terwijl Daye vooraan plaatsnam op de passagierszetel, en Fatma achteraan ging zitten.

Toen Ahmed achter het stuur kroop, bemerkte hij onmiddellijk dat er iets gaande was. Fatma had een vuurrode kleur in het gezicht, en keek hem niet aan. In haar ogen verscheen een traan, die ze met alle geweld probeerde te verbergen. Daye zweeg, strak voor zich uitkijkend, in gedachten verzonken. Het was ijzig stil. Ahmed startte de motor en begon langzaam te rijden over de Britse lei, in de richting van het Antwerpse justitiepaleis. Plotseling voelde hij de ogen van Fatma gepriemd in zijn rug. 'Hoe durf je,' brieste ze, en warempel begon ze te schreeuwen en te gillen. Ahmed keek verward in de achteruitkijkspiegel, tot een beweging van Daye rechts van hem, zijn hart bijna deed stilstaan. In haar kleine hand, vol eelt van het jarenlange werken, lag een zwart duivels kleinood: het pistool dat hij had gekocht. Daye begon nu ook te wenen, en terwijl hij met de linkerhand stuurde, nam Ahmed met de rechterhand het pistool heel voorzichtig uit haar hand. Hij liet het op de vloer tussen zijn benen vallen. Fatma zweeg. Daye huilde, en verward, als een blinde reed Ahmed de ene straat in, de andere uit tot hij aan de arbeiderswoning in de Oranjestraat aankwam. Hij stapte uit, maar Fatma en Daye bleven zitten, elk verzonken in hun eigen spiraal van gedachten, ver weg van de bewoonde wereld. Elk in hun eigen fantasieën en denkbeelden, herbeleefden ze weer die periode in Hassana, een tijd vol geweld en gruwel die er de oorzaak van was dat ze waren gevlucht. Toen Huzeya de deur opendeed zag ze ogenblikkelijk dat er iets scheelde. Pas na lang aandringen kwamen Fatma en Daye de woning van hun oudste zoon binnen, enkele minuten nadat hij de boodschappen de keuken had binnengedragen. Zwijgend zaten de drie vrouwen te wachten op de Heer des huizes. Hij bracht hen thee en koeken. De kinderen had Ahmed naar de slaapkamer gestuurd.

'Doe in het leven alleen datgene waarin je gelooft en geloof in wat je doet.'

Het was hem zo vaak gezegd, en deze keer geloofde Ahmed echt in wat hij deed. Hij geloofde dat het goed was om zijn familie, zijn gezin te beschermen, koste wat het kost, zelfs met een wapen, indien het moest.

'Waarom?' vroeg Daye met haar ogen. Ahmed begreep de onuitgesproken gedachten en begon te vertellen, over de onveiligheid in Antwerpen, de vele inbraken, de vrees dat zijn familie die hem zo dierbaar was iets zou overkomen. Hij ratelde een uur, ononderbroken, zijn gedachten vormden woorden, die woorden werden zinnen, een verhaal vol emotie, een historie over lief maar vooral leed dat hij rondom hem zag. Eén zaak verzweeg hij: wie hem het wapen had verkocht. Daye weende zachtjes, en probeerde Ahmed uit te leggen dat de enige wapens die men mocht gebruiken, de woorden van God waren. In geval van onheil zou God er toch zijn om hen te beschermen. Hij zou zijn engelen zenden met de boodschap van vrede op aarde. Een gebaar van liefde was veel beter dan de bedreiging door middel van een monster van verdoemenis. Fatma wees haar broer op het risico voor de kinderen, op het gevaar dat hij verklikt kon worden en door de politie zou worden aangehouden. In al haar naïviteit zag ze niet dat haar broer al lang niet meer luisterde naar haar woorden. Zijn besluit stond vast, hij was de man, en zou niet op zijn beslissing terugkomen.

Die zaterdag in januari brak er iets. Er ontstond een barst in het Assyrische pantser, het geloof in God verdween voor het eerst sinds generaties en kwam op de tweede plaats. Traditie had de plaats geruimd voor een zwartmetalen voorwerp dat in het verleden dood en verderf had gezaaid. Ahmed had de macht over leven en dood verworven, en in al zijn liefde en bezorgdheid voor zijn familie, zag hij niet hoe de Duivel hem lachend aankeek. Voor het eerst sedert jaren legde hij zijn lot niet meer in handen van Hij die hen altijd had beschermd op de barre tocht door het leven, op de kronkelige weg vol valkuilen. Fatma keek vol ongeloof naar haar broer die ze zo liefhad, maar wiens karakter zo veranderd was. Haar liefde was onvoorwaardelijk, maar een deken van ongerustheid spreidde zich over die liefde, en ergens in een klein kamertje in haar hart sluimerde de vrees voor het onbekende. 'Wat zou de toekomst brengen? Wat zou er gebeuren? Zou God nu nog aan hun kant staan?' Duizenden vragen tolden in het kleine hoofd van de toekomstige verpleegster, maar één vraag bleef overeind:

**Waarom?**

**Vrijdag 03 juni 2002**
**Club Çorum**

Rond 15.00 uur had Yakup de club Çorum weer geopend. Het betrof die gezellige Turkse Lokanta of eetcafé waar Kemal en Ahmed reeds jaren vertoefden in de weekends, telkens weer opnieuw na het werk, om er zich te goed te doen aan Baklava, het zoete Turkse dessert, Rakı de doorzichtige alcoholrijke drank, en de obligate Turkse muntthee. Het vertrek, vier bij vier meter, telde zes houten tafeltjes. De ronde tafeltjes waren voorzien van versleten tapijtjes die nog moesten herinneren aan de goede oude tijd van in het vaderland. Aan de muur hing, weliswaar schots en scheef, een pentekening die Atatürk voorstelde, met daarnaast een kader met vier postkaarten waarop telkens zijn beeltenis stond. Atatürk was de man die door zijn revolutionaire ideeën welvaart bracht in Turkije, en hen bracht tot het land zoals we het nu kennen. De koran werd niet strikt geïnterpreteerd zoals in vele Arabische landen wel gebeurde, en het was in feite het eerste moslimland dat onder zijn bewind de scheiding van Kerk en Staat kende. De minder fraaie kanten van zijn beleid werden verzwegen. Vanaf de dag dat hij aan de macht kwam, was er een militair apparaat dat Turkije in een ijzeren greep hield. De Koerden werden er verdreven, Armeniërs verdwenen, en de Christelijke Assyrische bevolking vluchtte uit hun geboortestreek naar een nieuw vaderland.

Atatürk zorgde voor de invoering van een westers geschrift, en zorgde ervoor dat de politieke beslissingen niet religieus werden gekleurd door de Imams. Maar in elke Turkse gemeenschap, ook hier in Antwerpen, leefden zijn gedachten en ideeën verder. Ook in de club Çorum in Antwerpen.

Het eetcafé van Yakup was misschien wel oud, maar op de muren waar de verf van afbladerde, prijkten wel prachtige posters van de mooie steden Bursa en Istanbul. Die kleinoden deden aan thuis terugdenken. De gammele kleurentelevisie die reeds zijn beste jaren had gehad, schetterde voor de meeste Sinjoren een niet te begrijpen taal en gebrabbel, voor vele van de bezoekers waren die woorden de enige weg om meer te weten te komen over hun 'thuis'. Achter de toog stond een jonge Turkse man, Yanos genaamd. Met een half oog keek hij naar de Turkse staatszender T.R.T., waar een verslaggever net vertelde over nieuwe onlusten in de Koerdische stad Diyarbakir. Yanos luisterde hoe weer verschillende mensen waren doodgeschoten, daar in het Zuid Oosten van Turkije, niet heel ver van zijn geboortedorp. Hij begon de theeglaasjes, die de vorm hadden van een kleine kelk, voor de derde keer te rangschikken op het dienblad. Wat vooral vele van zijn landgenoten plezierde, was dat Yakup het voor elkaar had gekregen om regelmatig 'Efes pilsen', het gekende Turkse bier te krijgen. Hij zag er dan ook persoonlijk op toe dat Yanos als een volleerde Turkse ober dit schuimende vocht in de gekoelde glazen goot, en er geen druppel van verspilde. Tegen zes uur die avond zouden de klanten komen, een allegaartje van Turken, Koerden, Hasnaye en misschien één enkele Belg of Pool. Meestal kwamen ze voor een gezellig avondje kaarten en praten, maar vooral om weg te zijn van de dagelijkse sleur thuis, het geschreeuw van de kinderen of de kommer van te weinig geld.

Vrijdagavond was heilig. In deze Turkse club in de Metropool, zag je geen vrouwen, niet omdat dit niet mocht, maar gewoon omdat het niet paste, omdat de traditie het niet wilde. Het enige dat Yanos stoorde waren de geregelde politiecontroles. Hier werden geen drugs verhandeld of gebeurden geen criminele feiten, maar enkele keren per jaar stopten met veel machtsvertoon enkele politiewagens, en werd in een mum van tijd het café overrompeld door een zee van blauw. Soms waren ze vergezeld van honden die gevaarlijk gromden naar Yakup, de werkelijke eigenaar van de club, en die dan altijd het jonge Turkse geweld moest intomen geen dwaasheden te begaan. In de laatste twee jaar hadden ze al zeven maal een controle gehad, slechts één maal was iemand meegenomen voor ondervraging. Het was zelfs iemand die er normaal gezien nooit kwam, een Roemeense illegaal, bleek achteraf. Maar de lokanta lag nu eenmaal in wat door velen als een risicobuurt werd genoemd, en zo was er altijd wel een reden om binnen te vallen. Natuurlijk was Yanos niet blind, en zag hij ook hoe een goede honderd meter verder andere jongeren bezig waren met het verhandelen van verdovende middelen. Hij zag en hoorde ook die blitse sportwagens met keiharde muziek door de straten racen, met aan het stuur een snotneus van achttien met een hoofd vol gel. Maar Yanos was vooral fier te zien dat het hier nooit om Assyrische jongeren ging. Eén maal had hij geprobeerd aan de aanwezige politieofficier uit te leggen dat Hasnaye en andere Assyriërs niet die drugdealende personen waren die ze zochten, maar een gesnauw was het antwoord geweest. Wat Yanos het meest stoorde was de brutaliteit waarmee men soms te werk ging. Hij herinnerde zich een oudere Turk die het Nederlands niet begreep, en een por in de rug kreeg omdat hij niet vlug genoeg zijn identiteitskaart bovenhaalde. Die keer kookte het potje bijna over, maar een ijzig kalme Yakup had de jongeren tot bedaren gebracht, en werd hierom achteraf geëerd.

Ondertussen werd het half zes. In het café zaten drie oudere Turken uit de omgeving van Bursa gezellig met elkaar te praten. Ze slurpten luidop aan hun glaasjes thee, en aten ondertussen handenvol zonnebloempitten. Ze bespraken de problemen van de dag, en als drie viswijven roddelden ze over andere landgenoten. Die man zijn dochter ging trouwen, maar was geen maagd meer, een ander zijn zoon was verliefd geworden op een Belgische gescheiden vrouw, en zo ging het maar door. Af en toe moest Yanos glimlachen als hij flarden van dergelijke verhalen opving.

Ondertussen had hij gezelschap gekregen van Yakup. Deze was eveneens geboren en getogen in Hassana, en was familie van Kebani, de moeder van Ahmed. Deze laatste zei altijd 'oompje' tegen Yakup, maar de juiste familieband kende niemand. Yakup zelf was al langere tijd in Antwerpen, en het gerucht deed de ronde dat hij zelfs een strafblad had. Sommigen zeiden dat hij vroeger in drugs en wapens had gehandeld, maar deze tweeenvijftig jarige

Assyrische reus zei niets over zijn verleden. Soms dacht Yanos hieraan, en stelde hij zich voor dat dit misschien wel de reden kon zijn dat het café regelmatig het middelpunt was van die controles. Maar wat er ook in het verleden mocht zijn gebeurd, nu regeerde Yakup met ijzeren hand over zijn zaak. Wie heibel zocht, dronken was, of met drugs experimenteerde in zijn club ging er onverbiddelijk uit. Ondertussen kwamen nog twee klanten binnen, de ene kende Yanos als Kleine Kemal een Turk uit Ankara, de andere kende hij niet. Ze gingen aan een tafeltje zitten, en bestelden een glas Rakı en olijven.

Het zag er naar uit dat het best een gezellige avond zou worden. De deur van het café stond open, en buiten scheen de zon nog volop. Het was een warme dag geweest met temperaturen boven de twintig graden en windstil, en het beloofde de komende dagen nog beter te worden. Het was voor de tiende opeenvolgende dag droog gebleven, en in Antwerpen slenterden de meisjes met korte rokjes en doorkijkbloezen over de geplaveide winkelstraten, zoekend naar de laatste koopjes.

Op straat weerklonk muziek van enkele jongeren die hun draagbare radio hadden meegebracht, en iets verder hoorde je het gejoel van enkele toekomstige wereldvoetballers, die nu op hun zesde levensjaar elkaar de loef probeerden af te steken. Af en toe hoorde men het geluid van een wagen die voorbij gierde, maar verder was het vredig en rustig in deze uithoek van de Antwerpse Noordrand, waar de autochtonen al lang de plaats hadden geruimd voor een multiculturele samenleving.

Omstreeks kwart over zeven kwam een auto de straat ingereden, met vier jonge mannen aan boord die luidkeels en vals, enkele Turkse liederen meezongen. Yanos lachte, want hij herkende de BMW van Ahmed, die ook Kemal, Abdullah en Gündüz had meegebracht. Wanneer dit viertal samen was, dan had men gegarandeerd een avond vol plezier en vooral straffe verhalen. Soms was het ondenkbaar hoe ze elkaar na al die jaren nog altijd de loef konden afsteken. Als ook maar tien procent van die verhalen klopte, dan hadden ze allemaal al met Miss Turkije of Miss World geslapen, en werden ze bijna dagelijks gebeld door horden jonge, wulpse vrouwelijke diertjes, die alleen maar een kort seksueel avontuur wilden beleven met die lefgozers. Maar Yanos en de anderen wisten maar al te goed dat achter die grote mond een klein hartje schuilde, dat alleen maar klopte voor hun vrouw en kinderen. En als één van de vrouwtjes eens telefoneerde op hun GSM als het te laat werd, wees dan maar gerust dat de jonge veulens naar huis vlogen, tot jolijt van de oudere kameraden in de club.

De vier vrienden kwamen luidruchtig de lokanta binnen, en zetten zich aan het tafeltje het dichtst bij de deur. Allen bestelden ze een Turkse Efen - pils, want door het vele stof dat ze die dag hadden gevreten op het werk, en door de warme temperaturen waren ze dorstig geworden. Yanos serveerde de vier mannen een Turkse pint met veel schuim op, en zette automatisch een bordje met schapenkaas en groene olijven op tafel. De vier vrienden waren aan het keuvelen als vanouds. Rond achten riepen ze naar Yakup dat hij de kaarten moest brengen. Ze zouden samen een boompje opzetten, en vanavond mocht het laat worden want morgen was het zaterdag en dan konden ze toch iets uitslapen.

In de gevangenis van Leuven Centraal mijmerde Ahmed verder over die vrijdagavonden die hij vroeger in de club Çorum had doorgebracht. Het was een gewoonte geworden op vrijdag – en zaterdagavond dat ze samen aan het houten, ronde tafeltje naast de deur gingen zitten, eerst een pint dronken en praatten, en zo rond achten begonnen te kaarten. De gewoonte was een ritueel geworden, een onderdeel van hun leven, iets om naar uit te kijken. De vrouwen lieten het toe omdat ze wisten dat ze daar toch maar in hun mannenwereld zaten plezier te maken, en zo konden zijzelf een ganse avond telefoneren of familie bezoeken. Ahmed dacht ook aan het gedrag van Kemal dat in die tijd meer en meer was veranderd. Al geruime tijd had hij een verhouding met een Marokkaanse jonge vrouw die in Brussel woonde, en de laatste tijd kwam het meer en meer voor dat Ahmed hem een alibi moest verschaffen om zijn afwezigheid thuis te verklaren. Ontelbare keren had hij Kemal naar diens liefdesnestje gebracht in de schaduw van Koekelberg, en was hij dan maar een paar uur zelf gaan ronddolen in deze voor hem vreemde stad. Tientallen keren had zijn vriend zijn GSM gebruikt om te telefoneren naar zijn geliefde. Ahmed keurde dit gedrag niet goed, integendeel. Hij was bang dat Kemal ooit eens verantwoording zou moeten afleggen voor zijn daden, en dat hij, Ahmed, dan door de familie van Kemal als de grote zondebok worden aanzien van een huwelijk dat op de klippen liep. Hij begreep niet dat zijn maat als een goede christen zomaar verliefd kon worden op een moslimvrouw. En Ahmed, alleen en verlaten in zijn kale, betonnen kamer van twee op drie meter, met tralies voor het raam, dacht verder aan die vrijdagavond...

Het kaartspel ging op en af. Gündüz en Kemal speelden tegen Abdullah en Ahmed. Er werd voor geld gespeeld. Officieel niet natuurlijk, want anders zou Yakup hen buitengooien, maar iedereen wist dat één olijfpit 100 frank vertegenwoordigde. Rond tien uur had Kemal al ruim tweeduizend frank verloren, een uur later het dubbele. Het zat Ahmed mee die avond, want hij was de grote winnaar aan het worden. Hij merkte niet echt op dat zijn beste kameraad zich veel te veel tegoed deed aan de Rakı, en zich meer en meer opstelde als een slechte verliezer. Hij gromde al opmerkingen dat er vals werd gespeeld, en liet het niet na met een gemene blik naar Ahmed te kijken. Maar die ging zo op in het spel dat hij het niet zag. Toen op een bepaald ogenblik Kemal weer vijfhonderd frank had verloren, het liep al tegen middernacht, barstte de bom. De jonge volwassen reus stond op en schopte zijn stoel enkele meters verder in de gelagzaal. Het werd doodstil in het café, waar behoudens de vier vrienden en Yakup slechts nog een handvol andere aanwezigen waren. Het schuim stond Kemal als het ware op de mond, en heftig gesticulerend beschuldigde hij Ahmed van vals spelen. Maar dat was niet alles. Voor het eerst stonden de twee vrienden die zowel in Hassana, als in Antwerpen, al jaren lief en leed met elkaar deelden tegenover elkaar. Nog nooit was zoiets gebeurd. Zelfs toen ze nog klein waren, en zich geborgen voelden bij hun familie, hadden ze nooit als vijanden tegenover elkaar gestaan. Er viel wel eens een woord, maar hun geloof had ervoor gezorgd dat ze steeds heel vlug inzagen dat ze voor elkaar bestemd waren. Die vrijdagavond was anders dan anders.

Ahmed dacht verder aan de vele vrijdagavonden die hij met Kemal had doorgebracht. In het begin dat ze in de club Çorum kwamen, gedroegen ze zich als twee onwennige jonge kerels bij hun eerste uitje. Maar net zoals de wekelijkse pint in het Sint Jorishof een deel van hun leven was geworden, was de club Çorum ook belangrijk geworden. Het was als een lichtbaken dat op woensdag aangaf dat ze bijna konden genieten van een welverdiende rust. En op vrijdagavond kwamen ze er bijeen met de vrienden om een kaartje te leggen, om er eens uit te zijn. Het was waar, Ahmed had regelmatig zijn beste vriend moeten helpen. Daar, in zijn kille cel dacht hij aan die avond in Brussel. De twee jonge hanen waren naar het autosalon geweest, en hadden zich een hele avond vergaapt aan al die mooie wagens. Ze droomden ervan om over de Vlaamse wegen te scheuren in een zwarte Volkswagen Golf Cabrio. Na het autosalon hadden ze honger gekregen, en in de buurt van het Lemmensplein te Anderlecht hadden ze een Turks restaurant gezien dat hen wel aanstond. Er waren een twintigtal tafeltjes, die allemaal goed bezet waren. De twee jonge Assyrische sportievelingen vielen direct op, en hun aandacht werd algauw getrokken door een bende giechelende Marokkaanse meiden die samen op stap waren. Eén van hen, Karima, had bijzondere belangstelling voor Kemal, en op het einde van de avond hadden beiden hun telefoonnummers uitgewisseld. Ahmed had ook wel gezien dat zijn vriend op een bepaald ogenblik een luchtje was gaan scheppen, kort daarop gevolgd door Karima. Maar hij had er niets achter gezocht. Pas later kwam hij erachter dat ze samen een relatie hadden, en meer en meer werd Ahmed de speelbal van dit alles, de vertrouweling, de stille getuige tegen wil en dank, en wist hij niet meer wat te doen.

Die vrijdagavond in de club Çorum was het duidelijk dat Kemal alles vergeten was wat zijn vriend voor hem had gedaan. Ahmed beefde, want hij hield hier niet van. Hij probeerde samen met Gündüz zijn vriend tot bedaren te brengen, maar het was duidelijk dat de alcohol in ruime mate had gevloeid, en onvermijdelijk zijn werk had gedaan. Zijn maatje had hij nog nooit zo agressief gezien, want hij was voor geen rede vatbaar. Wauwelend, en terwijl hij nog nauwelijks op zijn benen kon staan, deed hij onverwacht een uitval naar Ahmed. Hij probeerde hem met de rechtervuist een slag in het gezicht te geven, maar Ahmed die weinig had gedronken pareerde met gemak de uitval en vloerde zijn vriend letterlijk met één klap. Voor Kemal was dit olie op het vuur en plots, vanonder zijn hemd trok hij een mes.

Dreigend met het wapen stond hij minder dan een meter voor Ahmed, het schuim op de mond, met rollende ogen. De andere klanten in de kleine instelling weken achteruit, behalve Yakup die grommend dichterbij kwam. Als een volleerd bokser sprong hij vooruit en met twee welgemikte slagen kon hij de messentrekker in het nauw drijven en ontwapenen. Met een strenge blik naar Gündüz die niet was tussenbeide gekomen, beval hij beiden om onmiddellijk zijn zaak te verlaten en huiswaarts te keren. Ahmed troonde hij mee naar de keuken en schonk hem een appelthee in om te bekomen van de emoties. Yanos zorgde ervoor dat de laatste klanten vertrokken, en abnormaal vroeg sloot de Turkse club die avond haar deuren. Yakup had gezien hoe Gündüz zijn jongere broer had meegetroond door de straat, deze laatste luid roepend en scheldend. Ahmed zelf begreep het niet goed. Het was waar dat die verboden liefdesverhouding bij Kemal de laatste maanden zwaarder en zwaarder begon te wegen, en hij regelmatig een slecht humeur had, en al eens verbaal agressief uit de hoek durfde te komen, maar zoals vanavond had hij hem nog nooit gezien. Was het alleen door de alcohol gekomen, of waren er misschien thuis ook al problemen geweest eerder die avond, zodat hij daardoor te geëmotioneerd had gereageerd? Hij wist het niet. Straks zou hij huiswaarts keren, en morgenvroeg, voor hij naar de markt vertrok met Daye en Fatma zou Ahmed eens met Kemal telefoneren. Het zou hem deugd doen om de stem van zijn vriend dan te horen en alles uit te praten.

## Tasch

Ahmed vertrok met zijn fonkelende BMW, weg uit de nachtmerrie van de club Çorum, weg van de ruzie met zijn boezemvriend Kemal. Zijn handen trilden en luid vloekte de jonge stier. Hoe had dit in ‘s hemelsnaam kunnen gebeuren? Hij wilde nu nog niet naar huis terugkeren, want Huzeya en de kinderen zouden zien dat er iets gebeurd was. Hij keek naar de verlichte wijzers op zijn zilveren dure polshorloge. Het was nog vroeg genoeg om naar de Leopoldplaats te rijden. Bij Werner en de vrienden in taverne Sint Jorishof kon hij zijn verhaal misschien wel kwijt, en goede raad was altijd welkom. Met een beetje geluk waren Isabelle, Nico of Filip er nog, of Moeke die altijd luisterde naar de problemen van een ander, maar geen oog had voor haar eigen moeilijkheden. Moeke, een prachtvrouw, een beetje zoals zijn eigen moeder, altijd klaar voor haar eigen zoon die niet altijd besefte dat hij het later zonder haar nog heel moeilijk zou krijgen. Moeke, ‘Daye’ in het Assyrisch, een monument dat zich kranig hield in deze consumptiemaatschappij met slechts zeshonderd euro per maand sociale steun.

In gedachten verzonken kwam Ahmed aan op het pleintje, in de schaduw van de Nationale Bank te Antwerpen. Het Assyrische veulen kwam binnen, en zag dat er weinig volk was. Filip en Werner stonden aan de toog te praten over muziek, Anne had haar obligate glas witte wijn in de rechterhand, en aan haar tranende ogen te zien, was het zeker het eerste glas niet geweest die avond. In de hoek van het café, bladerend in een krant zat Natacha, 1.65 meter grote, jonge vrouw, studente, en door iedereen 'Tasch' genoemd. Ze viel op door haar mannelijke kledij, en haar harde en eerlijke taal, maar wanneer men haar kende wist men dat ze een peperkoeken hartje had. Tasch had haar eigen problemen, als ontluikende volwassene die voelde dat ze zich meer tot vrouwen voelde aangetrokken. Maar toch stond ze klaar voor iedereen, met raad en daad, en haar eigen misére zette ze telkens opnieuw opzij om anderen een troostende schouder aan te bieden, een lief woord of gewoon een knipoog. Met Tasch kon je praten als met een volwassene, en je wist, door haar lieve karakter, dat ze elk woord meende van wat ze zei. Ze cijferde zich volledig naar de achtergrond om je te helpen, en dat was wat Ahmed die avond nodig had.

Hij ging bij haar zitten, vroeg aan Werner een pintje voor zijn jonge vriendin, en bestelde zelf een roséwijn, dit tegen zijn gewoonte in. Tasch luisterde naar het verhaal dat Ahmed vertelde, en Filip en Werner kwamen er bij zitten en zwegen. Het kwam hen zo onnatuurlijk over dat iemand als Ahmed betrokken zou worden in een dergelijke vete, in een slaande ruzie tussen twee boezemvrienden. Ahmed, hun Turkse vriend, aanbeden door enkele jonge studenten die regelmatig bij Werner te gast waren, was dankbaar dat hij een gehoor had gevonden zo laat op de avond, en hij vertelde over zijn wedervaren in de club Çorum, over de uit de hand gelopen ruzie, over hetgeen hij voelde knagen aan zijn hart. De toehoorders konden het niet vatten. Het was voor hen gewoon niet mogelijk dat hun Ahmed die avond slaags was geraakt. Dat was hem niet. Iedereen kende hem als de volwassen vreemde bergbewoner, voor wie het geloof heel belangrijk was, en altijd klaar stond voor een ander. Dit was een andere Ahmed die ze zagen, een Ahmed vol frustraties en opgekropte woede omwille hetgeen zich enkele uren voordien had afgespeeld.

Ahmed dronk een tweede wijntje, en een derde. Stilaan kwam hij bij zinnen en werd hij rustig. Reeds enkele malen had hij gepoogd te telefoneren naar het nummer van Kemal, maar de lijn bleef stil aan de andere kant. Ahmed dacht aan de verwijten die zijn kameraad hem die avond naar zijn hoofd had geslingerd. Kemal beweerde dat één van zijn zussen een lichtekooi was, die niet in een restaurant werkte, maar haar brood verdiende als een ordinaire prostituee. Ahmed was razend geworden bij die gedachte, en zweerde dat hij het er niet bij zou laten. Maar hij was vooral woest wegens het feit dat hij Kemal al maanden indekte, wanneer deze weer eens zijn vrouw bedroog met die Marokkaanse del uit Anderlecht. En nu was het net Kemal die hem dergelijke verwijten maakte, die de eer van hem en zijn familie krenkte. De alcohol had ook zijn tol geëist, en wat gestart was als een ruzie over vermeend valsspelen was geëscaleerd. Gelukkig was Yakup er op tijd tussen gekomen, maar de wonde in zijn hart zou moeilijk te helen zijn. Het gemoed van Ahmed balanceerde die avond, die nacht op het slappe koord van oncontroleerbare woede en ergernis enerzijds, en een diep verdriet anderzijds. Was Kemal niet zijn beste vriend geweest, dan... Ja, dan had hij het Assyrische bloed laten overkoken, dan had hij ingegrepen. Zoals bij de Albanezen de 'Kanun', de bloedwraak van toepassing was, zo hadden ook zij als Assyriërs hun regels. Wie iemand van de familie kwaad deed moest het ontgelden. Kwaad doen kon door woorden, gebaren of daden. Kemal was vervloekt, maar toch was en bleef het zijn beste vriend. Ahmed zat in een diep dal, en besefte dat het nooit meer zou zijn zoals het eerder was. Maar kon hij nu de 'Kanun' laten overheersen? Moest hij zich gedragen als een wilde, of was de vriendschap belangrijker? Hij zou het voorleggen aan de ouderen, die zouden wel raad weten. Daye en Baba zouden dit ook al meegemaakt hebben, en hun zoon kunnen leiden op het rechte pad. Wraak was des duivels, en kon alleen maar nog meer kwaad berokkenen. Vriendschap en liefde stonden hoog in zijn banier geschreven, en daarvoor zou hij vechten, dag en nacht. Hij zou praten met Kemal, en hem uitleggen dat diens reactie ongepast was geweest, maar dat hij hem alles vergaf.

Ondertussen werden zijn overpeinzingen onderbroken door Tasch die hem vroeg een 'trage' te dansen. Het had iets onwezenlijks. In het gedempte licht van het Sint Jorishof dansten twee mensen met elkaar, wetend dat uit deze dans niets ging voortvloeien, elk met hun eigen problemen, en toch oor hebbend voor elkaar. Filip, Werner en Anne zaten ondertussen met elkaar te keuvelen aan het tafeltje aan het raam. Zelfs Steve en Dirk hadden zich ondertussen bij het gezelschap vervoegd, en het werd nog gezellig. Die ogenblikken waren de sterren en de maan getuige van het feit dat rond twee uur 's nachts zeven mensen verbroederden in het halfduistere Sint Jorishof. Een allochtoon, een flik, een lesbische jonge vrouw op zoek naar zichzelf, enkele jongeren die geen raad wisten met zichzelf, de eeuwige vrijgezel Anne, allen waren daar. In dergelijke momenten hadden ze steun gevonden bij elkaar, en wisten ze dat het leven goed was. Iedereen hoorde het verhaal van de ander, maar niemand luisterde echt. Allen konden hun zegje doen, maar de woorden hadden iets onwezenlijks, want binnen enkele uren zouden ze weer met hun eigen problemen geconfronteerd worden. Taverne Sint Jorishof was een veilige haven waar ze konden binnenvaren, om enkele uren rust en vriendschap te vinden. In de schaduw van de monumentale Nationale Bank, daar op het pleintje in het zicht van het standbeeld van Koning Leopold, werden plannen gesmeed voor de toekomst. Even werd de realiteit vergeten. Werner was als een vuurtoren die de scheepjes begeleidde naar kalmere wateren, en allen wisten ze dat hier altijd een vriendelijk woord te vinden was, een vriendschap zonder voorwaarden. Het maakt niet uit wie je bent, of waar je vandaan komt, je bent er welkom. Ahmed voelde die nacht de verbondenheid tussen de eenzame zielen, en wist weer waarom hij gekomen was. Als hij naar huis vertrok, zou het een kalme man zijn die het voertuig piloteerde door de donkere straten van Antwerpen. Huzeya, zijn lief vrouwtje, zou niet merken hoe hij zich gevoeld had die avond, na het verraad van Kemal. Sint Jorishof straalde de rust en de intimiteit uit van de bergen van Hassana, Tasch was als een fonkelende ster die hem die avond leidde door de duisternis, zoals het maanlicht hem had vergezeld in de bergen, daar in Mesopotamië, wanneer hij de kudde schapen hoedde.

Om kwart over drie die nacht verliet hij zijn lievelingscafé in Antwerpen. Huzeya zou al lang slapen, en straks als hij thuiskwam, mocht hij vooral de kinderen niet wekken. Hij racete met zijn donkere BMW door de verlaten straten van Antwerpen, terwijl studio Brussel op de radio harde muziek door zijn luidsprekers joeg. Het beloofde een zeer korte nacht te worden, want straks zouden Daye en Fatma er al aankomen, en voordien zou hij nog met Huzeya willen praten over het gebeurde.

‘Je zus is een hoer’, had het hard geklonken die avond, en Ahmed wist niet wat hij er van moest denken. Het kon niet, het mocht niet, wraak wilde hij niet, maar hoeveel kon een jonge Assyrische leeuw nog verdragen? Hoever mochten verwijten gaan, hoe diep kon hij gekwetst worden? Waar waren die Assyrische waarden die de ouderen hadden aangeleerd? Antwerpen was hun nieuwe Hassana, België hun nieuwe vaderland, maar heel even leek alles nu toch anders. Waarom was Mesopotamië zo ver? Waar was God geweest, die avond in de club Çorum? Ahmed kroop in de vroege morgen in bed, naast Huzeya, onzeker, angstig en toch woedend. Waarom moest dit alles gebeuren? Hadden ze nog niet genoeg geleden?

## Zaterdag 04 juni 2002
## De dag

“Want alzo lief heeft God de wereld gehad, dat Hij zijn eniggeboren Zoon gegeven heeft, opdat een ieder, die in Hem gelooft, niet verloren ga, maar eeuwig leven hebbe.”

(Johannes 3:16)

Het had Ahmed die resterende uren in bed dwars gezeten, en om half zeven, na een onrustige nacht met weinig slaap, was hij al opgestaan. Het was nu twintig over acht, en reeds een tiental keren had hij getelefoneerd naar de G.S.M. van Kemal, maar er was geen verbinding. Zijn batterij was weer leeg, of hij had het toestel afgezet. Hij durfde niet te bellen naar het vaste toestel omdat Ahmed niet wist of zijn vriend wel thuis zou zijn. Misschien was hij nog naar Brussel vertrokken, wat niet waarschijnlijk was in zijn dronken toestand, maar misschien was hij bij Gündüz blijven slapen, en wist zijn vrouwtje niets van de ruzie van de avond ervoor. Ahmed besloot te wachten tot na de middag, en dan nog eens te proberen hem te contacteren. Ahmed sleepte zich naar boven om zich klaar te maken, en toen hij uit de badkamer kwam rook hij het versgebakken Turkse brood dat Huzeya uit de kleine oven haalde. Hun ontbijt leek zoals altijd meer op een brunch, en zwijgend, recht tegenover elkaar gezeten aten ze. Huzeya zag aan Ahmed dat er iets scheelde, en vroeg hem naar het waarom van het stilzwijgen. Een woordenstroom barstte los als een actieve vulkaan ergens op een verlaten eiland. Hij vertelde haar het ‘geheim van

Brussel', van de ontelbare keren dat hij aan Kemal zijn GSM had uitgeleend om hem toe te laten liefdevolle boodschappen te sturen naar die moslimvrouw in Brussel. Hij bekende Huzeya dat hij haar in het verleden verschillende keren belogen had door te zeggen dat Kemal met hem in Antwerpen op stap was geweest, maar dit terwijl hij in feite de chauffeur was geweest van zijn vriend tijdens diens amoureuze escapades. Hij vertelde over de spanning die was ontstaan tussen hem en de van karakter zwakkere Kemal, die nog altijd zijn boezemvriend was. Ten slotte vertelde hij de gebeurtenissen van de avond ervoor, hoe zijn vriendschap zwaar op de proef was gesteld door diegene die hij door de jaren heen zelfs zijn broertje had genoemd, terwijl hij zich afvroeg wat er nu nog restte na al die mooie jaren. Hij sprak over de verloren eer.

In de gevangenis van Leuven Centraal dacht deze jongeman aan de bewonderenswaardige reactie van zijn lieve vrouwtje Huzeya, toen hij haar al die geheimen opbiechtte die hij al geruime tijd met zich meesleurde.

Huzeya zweeg en keek peinzend voor zich uit. Ze schonk zichzelf nog een kopje thee in, bediende ook Ahmed, en begon te praten. Ze citeerde zowaar uit de bijbel, en met elk woord dat ze sprak voelde Ahmed een warme gloed door zich heen trekken. Huzeya sprak zalvend en vergaf hem zijn leugens, omdat ze ook wist dat hij alleen had gelogen om het gezin van Kemal te beschermen. Ze begreep dat haar man maandenlang op een kruispunt had gestaan, en niet had willen kiezen tussen de vriendschap van Kemal en de liefde voor zijn gezin. Nu had hij getoond dat hij voor zijn gezin koos, en dat hij niet meer wilde meespelen in de intriges van zijn zielsverwant. Ze begreep echter ook dat het Ahmed veel moeite had gekost om haar de waarheid te vertellen. Ze sprak met hem af hier voorlopig niets over te verhalen tegen Daye, want die zou zich toch maar ongerust maken. Huzeya had een plan, niet de ouderen, de wijzen van het volk moesten voor een oplossing zorgen, maar wel de jonge kemphanen zelf. Maandagavond, na het werk, moest Ahmed aan zijn vriend en werkmakker maar vragen om eens iets te gaan eten in een restaurant, en moesten ze maar praten over diens relatie, zonder wrok of haat, maar als twee volwassen mensen. Ahmed moest zijn eigen eergevoel onderdrukken, en zijn vriend de weg naar het goede tonen, en hem brengen naar één van de vele kruispunten van het leven. Kemal zou hij doen kiezen tussen zijn vrouw en zijn minnares, maar vooral moest Ahmed hem duidelijk maken dat hij niet meer als excuus wilde dienen voor de wulpse avontuurtjes van zijn landgenoot. Als Kemal voor het huwelijk koos, dan moesten de beide koppels maar samen meer op stap gaan, zodat er ongemerkt toch meer sociale controle zou zijn. En desnoods zou Jaap, de dominee die in het Bijbelhuis werkte, wel eens kunnen praten van man tot man met de overspelige vriend. Ahmed vond het een uitstekend plan. Hijzelf zou zelfs vandaag nog de brokken proberen te lijmen, zodat ze maandag een nieuwe start konden nemen. Ja, het leven lachte hen weer toe.

Ahmed glimlachte terwijl hij op zijn eenvoudige brits, zijn gedwongen rustplaats, neergevleid was. De film van die 24 uur was al menig keer voorbijgeflitst, en hij herinnerde zich elk woord dat die dag gesproken werd, elk gebaar dat die dag werd gemaakt.

Het was die zaterdag ondertussen half tien in de ochtend geworden, en Ahmed zat in de living naar de televisie te kijken, wachtend op Fatma en Daye om de wekelijkse boodschappen te doen. Huzeya was naar boven gegaan om de kinderen te wekken, te wassen en aan te kleden. Ahmed bedacht plots dat het weekend was, en hij dacht aan zijn belofte die hij aan Huzeya maanden geleden had gemaakt, dat hij het pistool dat hij had aangeschaft niet in de woning zou laten liggen, als de kinderen thuis waren. Hij nam het duivelstuig in zijn handen, en ging naar buiten om het in het handschoenvakje van zijn wagen te stoppen. Hij wist dat sedert die ene keer in januari Daye nooit meer in het handschoenvakje zou kijken, als ware het dat iets wat men niet zag ook niet bestond.

Gezeten op het ijzeren ledikant, met zijn ogen dicht zag Ahmed als in een vertraagde film hoe hij eerst door het raam naar buiten had gekeken, om zeker te zijn dat niemand hem met het kleinood naar de wagen zag stappen. Het duurde vijf seconden van de deur naar de wagen en terug. Niemand had het wapen gezien, niemand had gemerkt wat hij had gedaan. Zijn handen trilden lichtjes, misschien was het beter om te doen wat Fatma al lang had gevraagd, namelijk het wapen weg te gooien, of minstens terug te brengen naar Gündüz. Maandag zou hij hem opbellen en het wapen aan hem teruggeven. Zelfs het feit dat hij misschien zijn geld kwijt was interesseerde hem maar matig want hij zou tenminste van een last verlost zijn.

Klokslag tien uur werd er hard aan de deur gebeld. Ahmed glimlachte, want hij wist wie er was aangekomen. Een Assyrische prinses, Fatma genaamd, samen met een edele dame, Daye, welke hem straks zouden vergezellen naar de Marokkanenmarkt. Hun aanwezigheid op zaterdag was een houvast, een constante geworden in zijn leven, en hij kon zich zelfs niet meer inbeelden dat er ooit een zaterdag zou zijn zonder hun gezelschap. Even had hij getwijfeld, enkele weken voor zijn huwelijk met Huzeya, maar zelfs toen hij zijn eigen gezin en zijn eigen huisje had, bleek de oeroude familieband toch sterk genoeg om de traditie voort te zetten. Een zaterdag zonder Fatma en Daye, was geen zaterdag.

Vanaf het moment dat ze binnengekomen was kwetterde Fatma als een jonge ekster. Ahmed luisterde maar half naar haar belevenissen op school, maar was wel geïnteresseerd in de resultaten die ze behaald had. Binnen afzienbare tijd zou er een nieuw verpleegstertje in Antwerpen zijn, en zoals Ahmed soms gekscherend zei 'de meest sexy met haar ravenzwarte lange haren en haar kraakwitte schortje'. Fatma gaf hem een stomp met haar elleboog als hij weer eens zoiets zei, maar ergens vond ze die aandacht van haar oudere broer wel leuk. Ze wist dat Ahmed zijn broers en zussen op handen droeg, en dat vooral zij de oogappel was.

Rond elf uur vertrokken ze naar de markt. Ahmed dacht niet meer aan het gebeurde met Kemal, en genoot met volle teugen van het slenteren langs de kraampjes. Een uur later, en enkele honderden euro's lichter keerden ze terug naar de wagen, volgeladen met zakken vol groenten en fruit. Fatma slaagde er zelfs nog in een reep chocolade te ontfutselen van haar broer, en luid smekkend at ze die op. In plaats van terug huiswaarts te keren, gingen ze eerst nog naar taverne Sint Jorishof om er iets te drinken. Daye genoot van de warme zonnestralen op het terras, en Fatma zwoer dat ze haar benen in de zon zou laten bruinen, zoals het een toekomstig fotomodel paste. Tegen enen keerden ze huiswaarts, moe maar voldaan. Ahmed bracht Daye en Fatma naar hun appartement in de Kerkstraat, en keerde daarna naar Huzeya terug met de resterende inkopen. Thuisgekomen nam hij de telefoon en belde hij voor de zoveelste keer die dag Kemal op. Het was nu misschien het moment om alles bij te praten. Maar er was geen antwoord, de GSM stond nog altijd af. 'Niet getreurd', dacht Ahmed, 'vanavond zien we elkaar wel weer in de club, en maken we alles goed'.

Ahmed las die namiddag in de Bijbel, bij hem thuis in die eenvoudige, maar toch mooi opgeknapte woning in de Oranjestraat te Antwerpen. Hij was alleen thuis, want Huzeya was samen met de kinderen vertrokken naar het zwembad Wesenberg. Het was half vier en hij wist dat hij nog wel een uurtje rust zou hebben. In tegenstelling tot Fatma die op geregelde tijdstippen een bijbelstudie volgde in het Bijbelhuis aan de Lange Dijkstraat te Antwerpen, koos Ahmed ervoor de traditie van Hassana thuis voort te zetten, en elk weekend de Heilige Schrift enkele uren ter hand te nemen. Uit de woorden van de Heer, in de diverse verhalen uit het Oude en het Nieuwe Testament putte hij troost en energie. Zijn ogen waren gevallen op de passage van één van de apostelen van de Heer. Ahmed wist dat hetgeen hij juist gelezen had in feite de basis van het Christendom was. Het speelde geen rol of men Assyriër was, Katholiek of Protestant, allen hadden dezelfde basis, uitgedrukt in drie kleine regeltjes. Een tiental woorden als steunpilaar voor miljoenen en miljoenen mensen over de hele wereld. Voor de Assyrische gemeenschap waren het geloof en de familie de zaken die op de eerste plaats kwamen. Maar ook vrienden werden als familie beschouwd. Daarom deed het Ahmed zoveel pijn dat hij zijn kameraad niet kon bereiken. Kemal was voor hem meer dan een vriend. Ze waren als broers voor elkaar, en hij wist dat ze alles voor elkaar zouden doen. Voor de twaalfde keer nadat Huzeya de woning had verlaten telefoneerde Ahmed naar de GSM van Kemal. Maar weer kwam het monotone geluid van het antwoordapparaat. Ahmed sprak er een boodschap in, maar verwachtte niet dat hij een antwoord zou krijgen. Hij belde naar Gündüz, die wel onmiddellijk opnam. Het werd een kort en kil gesprek. 'Neen, zijn jongere broer was er niet' en, 'neen hij wist niet waar hij was'. Over de gebeurtenissen van de avond ervoor repte hij met geen woord. Ahmed was beteuterd, hij zou moeten wachten tot 's avonds als hij met Kemal zelf wilde praten. Waarschijnlijk was die nu toch in Brussel, en wanneer hij terug in Antwerpen zou komen, zou hij goed gezind zijn, en dan toch naar de club Çorum komen, bij oom Yakup. 'Vanavond zou alles bijgelegd worden'. Het zou de laatste ruzie in hun leven zijn geweest, dat was Ahmed zeker. En zowaar begon hij te glimlachen bij die gedachte. Straks zou ook Huzeya met de kinderen thuiskomen, en na het avondeten zou Ahmed vertrekken naar de 'lokanta' Çorum, om er een praatje te slaan met Yakup en Yanos, in afwachting dat zijn boezemvriend hem gezelschap zou komen houden. Alleen besefte Ahmed dat hij er deze keer moest over waken dat de alcoholduivel zijn kop niet zou opsteken.

## Anna Avrath

1

'Want het loon, dat de zonde geeft, is de dood' (Romeinen 6:23).

Het was zeven uur. Zaterdagavond. Ahmed had samen met Huzeya en de kinderen gegeten, en maakte zich klaar om te gaan stappen. Huzeya glimlachte om haar groot en toch soms klein kind, zoals ze hem noemde. Zoals vele Turkse mannen was Ahmed door zijn zuiderse temperament soms kort van stof en opvliegend, en ondanks het feit dat ze beweerden dat ze niet ijdel waren, was het alom geweten dat Turkse mannen meer aandacht besteden aan hun uiterlijk dan hun vrouwen. Hiërarchie was ook heel belangrijk, en telkens als ze in het openbaar waren moesten en zouden ze bewijzen dat zij de baas waren, en niet iemand anders. De kemphanen van Hassana moesten niet onderdoen voor hun broeders uit Ankara of Bursa. Naar de buitenwereld waren zij de heersers over de familie, waren zij diegenen die regeerden in hun eigen kleine rijk. Maar zodra de voordeur achter hen dichtviel, wanneer ze thuiskwamen van een lange werkdag, viel het ijdele, het egoïstische soms, weg, en werden zij opgenomen in de schoot van hun familie. Alleen met Huzeya en de kinderen samen, was Ahmed een lieve, attentvolle man, die huishoudelijke klusjes deed en zelfs regelmatig in de keuken bij de vaat hielp. Maar in het bijzijn van derden werd de mannenrol weer gespeeld. Dat schimmenspel tussen man en vrouw overheerste de vele klassen al tientallen eeuwen, en in de grote metropool aan de Schelde was het niet anders. In de badkamer besprenkelde Ahmed zich overvloedig met Davidoff, goed wetende dat hij die avond in de club Çorum toch geen andere vrouwen zou zien. Maar dit alles maakte deel uit van het spel dat gespeeld werd, waarbij de verleiders van de nacht hun verhalen vertelden aan houten tafels, in rokerige Turkse cafés. Omstreeks kwart over zeven kwam Ahmed naar beneden, en nam hij de autosleutels die hij 's morgens op de salontafel had gegooid. Hij zou met de BMW naar de club Çorum rijden, want hij dronk toch weinig of geen alcoholische dranken, dus hij hoefde geen angst te hebben dat men hem een boete zou aansmeren, als hij onverwachts midden in een WODCA actie terecht kwam.

Ahmed vertrok, de muziek loeihard, en kwam na een rit van nauwelijks twee minuten aan in de Klamperstraat waar het Turkse café van Yakup was gevestigd. Hij reed voorbij het café om aan het einde van de straat terug te keren, want aan dezelfde straatkant als de club had hij, ongeveer honderd meter verder, een parkeerplaats ontdekt. Hij stond dan wel geparkeerd voor een garagepoort, maar aangezien iedereen wist dat het zijn wagen betrof, zou men hem in geval van nood wel uit het café komen halen. Tijdens het voorbijrijden zag Ahmed dat Kemal met zijn rug tegen de vensterbank geleund stond. Hun blikken kruisten elkaar, en wat Ahmed in die ene seconde zag was diepgewortelde haat. Twee gitzwarte ogen keken priemend naar hem, alsof ze een teken waren van naderend onheil. In die ene seconde zag Ahmed hoe de mond van Kemal samentrok tot een smalle streep, en hij zag de woorden die vertrokken. Ze troffen hem als een dolk in zijn hart. 'Anna avrath, ik neuk je moeder.'

Ahmed reed zo rustig mogelijk voorbij het café, en in zijn achteruitkijkspiegel zag hij hoe Kemal druk gesticulerend naar een op het voetpad geparkeerde mercedes liep, achterna gerend door Gündüz en een Assyriër die toevallig voorbijwandelde. Hij zag nog net hoe zijn vriend het kofferdeksel van diens wagen opende, terwijl allerlei gedachten door zijn hoofd schoten. Ahmed begon aan het keren in de straat. Hij wist dat er iets fout zat, maar het hanige van de Zuiderling stak de kop op. Waarom zou hij vluchten? Waarom zou hij wegrijden? Hij was voor niemand bang, zeker niet voor zijn beste vriend. Waarom zou hij ook, Ahmed had niets misdaan. Met zwier parkeerde hij zijn BMW op de plaats die hij had voorzien. De jonge chauffeur keek behoedzaam op. Toen hij de muziek, die door de luidsprekers van zijn BMW gierde, liet zwijgen, hoorde hij duidelijk het geroep en getier van zijn beste vriend, die met stevige passen op zijn voertuig kwam afgestormd. Vijfenzeventig meter scheidden vriendschap en vijandschap van elkaar. Vijfenzeventig meter, een afstand kleiner dan de lengte van een voetbalveld, een brug tussen leven en dood. Ahmed begreep het tafereel niet onmiddellijk, maar hij bleef staren naar wat zich begon te voltrekken. Een waas trok voor zijn ogen, zijn keel werd droger. Voor het eerst voelde hij zich bedreigd, voor het eerst voelde hij zich verlaten. Ahmed kreeg doodsangsten en het zweet liep over zijn rug, waardoor zijn hemd aan zijn huid kleefde.

In zijn gedachten ging hij terug naar de verhalen die verteld werden over de Armeniërs, door zijn vader en door vele andere vaders. Zij hadden hem beschreven hoe deze Christenen bijeen werden gedreven, neergeknuppeld, vermoord. Hij dacht aan het feit dat geen weerwerk was geboden, dat zij zich naar de slachtbank lieten voeren. Hij ging terug naar de wreedheden die hij als kind had gezien toen Koerdische strijders een Turkse soldaat hadden gevangen. Ahmed had geweld altijd verafschuwd, en had gezworen dat hij nooit zich in een geschil zou laten meeslepen.

En nu zat hij er middenin. Door een waas van tranen, zag hij hoe Kemal als een niets ontziende woesteling op zijn wagen kwam afgestormd. In zijn hooggeheven hand had hij een loden buis van wel 35 cm. Al roepend en tierend kwam hij dichter en dichter naar de geparkeerde BMW gerend.

Waarom moest hij hier zijn? Ahmed dacht na, waarom moest hij opnieuw bewijzen nergens bang voor te zijn? Waarom?

Als in een droom nam de zoon van Baba met zijn rechterhand een klein zwart monster uit het handschoenvak dat hij zojuist geopend had. In zijn hand lag het pistool dat hij van Gündüz had gekocht, geladen met een lader, gevuld met tien dodelijke projectielen 7,65 mm. Als gehypnotiseerd opende hij de deur van zijn wagen, en ging midden op de rijweg staan. Een golf van ontzetting wervelde door de tientallen omstanders die zich snel terugtrokken naar veiliger oorden. Her en der werd gevloekt, in één enkele woonkamer werd gebeden. Het werd stil in de straat, een stilte die alleen doorbroken werd door het geroep en getier van een Assyrische knul, Kemal genaamd. Als in een vertraagde film keken velen naar een duel dat zich zou afspelen als in een ouderwetse cowboyfilm. Dat kon niet, dat mocht niet. Abdullah had zich uit het café Çorum gewurmd toen hij de kreten en het lawaai hoorde. Als een roofdier stortte hij zich van achteren op Kemal, die zich als een robot voortbewoog richting Ahmed. De afstand was kleiner geworden, nog hooguit 40 meter. Maar de jonge volwassene uit Hassana was zo sterk als een stier. Zijn pezen spanden zich in zijn nek, en met één slag met de loden buis vloerde hij Abdullah, die versuft en verdoofd op het asfalt bleef liggen. Een klein straaltje bloed liep langs zijn oor, en zorgde voor een kleine donkere vlek op de rijweg. Ahmed zag hoe Gündüz probeerde zijn broer tegen te houden, maar die kreeg een duw en struikelde over zijn eigen voeten. Vijftien meter scheidden de twee kemphanen van elkaar. Kemal deed nog twee stappen en bleef dan staan, vuurrood en licht hijgend van de inspanningen die hij had gedaan. Ahmed wachtte hem op, het pistool in de rechterhand die losjes naast zijn lichaam bengelde. De loop wees naar beneden.

'Waarom?' riep Ahmed naar zijn bloedbroeder, 'waarom verraad je onze vriendschap?' Terwijl hij dit zei begon hij te snikken. Hij zag hoe de mond van Kemal een kleine streep werd, en in diens ogen zag hij alleen diepgewortelde haat. Langzaam hief hij zijn arm op, de loden buis dreigend als een zwaard, wijzend naar de hemel. Ahmed keek vertwijfeld naar zijn vriend. Hij begreep niet wat er gebeurde. Plots deed Kemal een stap voorwaarts. Hij braakte de twee woorden uit die Ahmed had gezien, gelezen van zijn lippen, de woorden die hij niet wilde horen... **Anna Avrath**... 'ik neuk je moeder', klonk het hard in het Assyrisch, in de taal uit Mesopotamië.

Ahmed kreunde lichtjes en door zijn tranen heen zag hij hoe zijn vriend dichter en dichterbij kwam, de woorden roepend als waren het messen die werden gegooid. De buurt hield de adem in. Steeds dichterbij kwam Kemal, vloekend en tierend, de lelijkste scheldwoorden roepend. Elke letter, elk woord, raakte Ahmed als een zweepslag en weer kreunde hij. Automatisch, zonder nadenken greep zijn linkerhand naar het pistool, en in een fractie van een seconde wapende hij het monster. Nu zat er een patroon in de kamer. Het geluid van metaal op metaal klonk dreigend in de stille straat, waar tientallen nieuwsgierigen zich meer en meer verdrongen vanachter de gordijnen van hun armtierige woningen in deze achtergebleven Antwerpse buurt. Ahmeds keel werd droog, en zijn stembanden lieten hem in de steek. Alleen een schor, krassend geluid ontsnapte uit zijn keel, onverstaanbaar voor de velen die keken naar het heroïsche duel dat nu werd uitgevochten. Kemal naderde tot op vijf meter, de ergste verwensingen slingerend naar zijn vriend, die lijkbleek werd. De loden buis maakte een beweging, klaar om neer te komen op het hoofd van Ahmed. Plots stopte Kemal, alsof een ijzeren vuist hem loeihard tegen de borst had geslagen. Zijn ogen werden wijder, en versmalden weer. Hij raakte niet meer vooruit, alsof hij in volle snelheid tegen een betonnen muur was gelopen. Zijn adem stokte, en op hetzelfde ogenblik, met het gevoel van een zware last die hem op zijn plaats hield, weerklonk het geluid van een schot, als een donderslag bij heldere hemel. Op enkele meters van zijn vriend stond Ahmed met gestrekte arm, het pistool wijzend naar de borstkas van zijn aanvaller. Een rode vlek tekende zich af op het hemd van Kemal, wiens mond openviel. Een tweede schot kraakte, een derde, een vierde. De rots uit Hassana draaide om zijn as, en als in een vertraagde film zag Ahmed hoe zijn vriend naar de grond viel. Als een automatisme bleef zijn hand gekromd rond het wapen, en opnieuw vertrok een patroon uit de kamer. Kemal maakte een stap voorwaarts toen het vijfde projectiel hem in de rug trof, het zesde en het zevende versnelden zijn val. Niemand bewoog. Ahmed liet zijn arm zakken, het pistool rookte, zijn vriend, werkmakker en broer, lag op de grond. Zeven kogels voor twee woorden. De mens was een dier geworden, de schepping was vernietigd. Hier, in Antwerpen, had Ahmed zijn geloof verzaakt, en was hij in handen van de duivel een gewillig instrument geweest.

## Eeuwige verdoemenis

Ahmed liet zijn tranen de vrije loop. Als Assyrische Christen had hij een goede opvoeding gehad, maar wat had hij er van terecht gebracht. Waar was zijn fierheid die zijn volk zo kenmerkte?

Zijn volk stamde af van de allereerste Christenen, ze waren duizenden jaren geleden geboren, en nog altijd hielden ze vast aan de tradities en de waarden die er heersten. De wet van God was de enige wet die telde. Soms keken ze met afschuw naar deze nieuwe decadente wereld waarin ze nu noodgedwongen moesten leven. Waarom waren die mensen zo anders. Ahmed herinnerde zich hoe hij in de tram bestolen werd door vier Marokkanen die hem zijn eerste loon afnamen. Hij begreep het niet, dat was tegen de regels van God. Hadden ze honger dan hadden ze het hem gewoon moeten zeggen en hij zou hen eten geven. Assyrische Christenen vloekten niet, stalen niet, begeerden andermans vrouw niet. Neen, ze leefden volgens het woord van God, en nu had hij als allereerste Assyriër iemand vermoord. De gemeenschap had geschokt gereageerd. Eén uur na de moord wist iedereen het, van de familie van Marseille en Canada, tot Istanbul, Zweden, overal. De moord werd verteld via de GSM, de woorden werden verdraaid. Ouderen schudden hun hoofd, waarom was dat gebeurd. Had God hen in de steek gelaten?

Nu nog, in zijn kleine betonnen kamer in Leuven Centraal, begreep hij het niet. Hoe was dat allemaal kunnen gebeuren in deze maatschappij, in dit nieuwe land dat zijn nieuwe thuis had moeten worden?

Hij keek naar het zwarte kleine instrument van de Duivel dat hij ooit gekocht had, waarmee hij voor één keer had geoordeeld over leven en dood, in plaats van God zijn schepper. Fatma had reeds verschillende keren gebeld naar zijn GSM, maar telkens als haar naam verscheen op de display duwde hij die af. Hij wilde nu met niemand praten. Ahmed weende en voelde zich alleen. Wat had hij gedaan? Waarom lieve God, waarom? Hoe zou het met Kemal zijn, waarom kwam niemand tussen, wat was er toch gebeurd? Ahmed zette zijn GSM af, hij wilde nadenken wat te doen, hij probeerde te redden wat er te redden viel. Het zwarte monster woog als lood, en drukte eveneens op zijn hart.

Hij was in zijn wagen gesprongen en als een gek door de stad gescheurd. In zijn verbeelding hoorde hij sirenes, hij reed verder via de Kennedytunnel naar Sint Niklaas, de enige stad die hij ook kende als zijn broekzak. Hij had Kemal om zijn as zien draaien en zien vallen. Het geluid van het hoofd van Kemal dat de straatstenen raakte zou hem altijd bijblijven. Hij had niet omgekeken hoe zijn vriend het verder stelde. Hij was gevlucht, een reactie ten gevolge van een walgelijke daad die niemand kon goedkeuren. Op dat ogenblik dacht hij aan de bijbel, aan het vers uit Exodus, de Tien Geboden van God.

'Ik ben de Here, uw God, die u uit het land Egypte, uit het diensthuis, geleid heb.'

Ahmed begon te wenen en prevelde met een snik in zijn stem dit Assyrische gebed dat hij duizenden keren had opgezegd samen met Baba, Daye, broers en zussen.

'Gij zult geen andere goden voor mijn aangezicht hebben.'

Eén na één rolden de woorden uit zijn mond, als een baken op weg naar het licht, troostende woorden na een helse nacht.
'Gij zult u geen gesneden beeld maken noch enige gestalte van wat boven in de hemel, noch van wat beneden op de aarde, noch van wat in de wateren onder de aarde is.'

Hoevele malen hadden zijn ouders, de ouderen van het dorp hen niet de waarden geleerd van het leven, hen getoond wat het goede was in het leven? Elke zin, elk woord kreeg een magische betekenis. Het was niet zomaar een gebed dat Ahmed die nacht prevelde. Het waren zinnen die hem de kracht moesten geven om in het reine te komen met zichzelf, om te proberen te redden wat er nog te redden valt.
'Gij zult u voor die niet buigen, noch hen dienen; want Ik, de Here, uw God, ben een naijverig God, die de ongerechtigheid der vaderen bezoek aan de kinderen, aan het derde en aan het vierde geslacht van hen die Mij haten, en die barmhartigheid doe aan duizenden van hen die Mij liefhebben en mijn geboden onderhouden.'

Ahmed verzonk dieper en dieper in zijn gedachten. Hij keerde terug naar de schepping van het leven door God. Een schepping die hij had vernietigd. Zijn beste vriend was vermoord.... Door hem. Hij was altijd gewaarschuwd voor de Duivel, het Kwade, nu was hij er een handlanger van geworden. Hij had zijn God verraden.
'Gij zult de naam van de Here, uw God, niet ijdel gebruiken, want de Here zal niet onschuldig houden wie zijn naam ijdel gebruikt. Gedenk de sabbatdag, dat gij die heiligt; zes dagen zult gij arbeiden en al uw werk doen; maar de zevende dag is de sabbat van de Here, uw God; dan zult gij geen werk doen, gij noch uw zoon, noch uw dochter, noch uw dienstknecht, noch uw dienstmaagd, noch uw vee, noch de vreemdeling die in uw steden woont. Want in zes dagen heeft de Here de hemel en de aarde gemaakt, de zee en al wat daarin is, en Hij rustte op de zevende dag; daarom zegende de Here de sabbatdag en heiligde die. Eert uw vader en uw moeder, opdat uw dagen verlengd worden in het land dat de Here, uw God, u geven zal.'
Snikkend als een kind rolden de laatste woorden eruit. Het had iets onwezenlijks, een man die zijn vriend had vermoord en toch nog troost zocht bij zijn Schepper. Hij vond zijn redding in woorden die reeds duizenden jaren werden overgeleverd van man tot man, in de bergen en dalen van het Zuid Oosten van Turkije.

Gij zult niet doodslaan.
Gij zult niet echtbreken.
Gij zult niet stelen.
Gij zult geen valse getuigenis spreken tegen uw naaste.
Gij zult niet begeren uws naasten huis; gij zult niet begeren uws naasten vrouw, noch zijn dienstknecht, noch zijn dienstmaagd, noch zijn rund, noch zijn ezel, noch iets dat van uw naaste is.

'Gij zult niet doodslaan'..... Ahmed weende nu hartverscheurend. Hij, het voorbeeld voor broers en zussen, Assyriër, hij die altijd geleefd had volgens de geboden van God, had beschikt over leven en dood. Hij wist dat zijn spijt, alhoewel oprecht, veel te laat kwam, dat alleen God hem nog zou kunnen helpen. Hier hielp geen berouw meer. Waarom had hij het gedaan? Wat moest hij nu doen? Wat zou er gebeuren met zijn familie?

'Heb vertrouwen in God' had Daye hem altijd geleerd. 'Maar waarom was dit alles nu gebeurd? Waarom Kemal? Wat was er in feite gebeurd?' Hoe was het mogelijk dat de twee beste vrienden ter wereld in de val van Satan waren getrapt en aartsvijanden waren geworden? Omstreeks half vier in de ochtend nam Ahmed een besluit. Hij zou zijn familie niet meer in de steek laten, hij zou hen niet belasten. Hij nam zijn zilverkleurige Nokia GSM. Met trillende hand duwde hij de vier cijfers van de code in, die als sterretjes werden weergegeven op het verlichte toetsenbord. Hij zou Fatma bellen, haar proberen uit te leggen wat er gebeurd was, en zeggen dat hij op de Grote Markt in Sint Niklaas stond te wachten in zijn auto. Hij zou Fatma om vergeving vragen, en zich dan aangeven bij de politie. Voor de tweede maal was hij een vluchteling. Twee maal was hij gevlucht omwille van zinloosgeweld, één maal uit zijn vaderland, één maal uit Antwerpen. Alleen was hijzelf nu de oorzaak van het zinloosgeweld, van alle ellende. Hij hoorde het gerinkel aan de andere kant. Het ging één maal over, en een snikkende Fatma zei onmiddellijk zijn naam. Ze huilde en zei dat de politie was binnengevallen, dat Kemal dood was en dat zijn familie wraak had gezworen. Ze vertelde dat de ruiten in zijn woning waren ingegooid, maar dat Huzeya en de kinderen veilig waren. 'Maar waarom, waarom broertje?' Ahmed zei dat hij nu ook voorlopig veilig was, maar dat hij zichzelf zou aangeven en boeten voor zijn daden. Eerst zou hij nog een kerk zoeken die open was, en bidden om vergeving, dan zou hij naar de politie gaan. Terwijl hij dit zei hoorde hij op de achtergrond Baba zijn naam roepen, en hoorde hij hoe Daye aan Fatma vroeg om met Ahmed te mogen praten. Maar niemand anders kwam aan de telefoon, alleen Fatma praatte met haar broer die zondagmorgen. Ze overtuigde hem van haar liefde voor hem, en de liefde van de familie ondanks alles. Ze stak al haar levenslust en kracht in de woorden die Ahmed ervan moesten overtuigen zijn daden onder de ogen te zien, en hij wist dat men hem niet zou laten vallen. De familie sloot de rangen, ondanks alles wat er gebeurd was. Ahmed was er klaar voor. Om zes uur die morgen stapte hij het politiebureel in Sint Niklaas in de nabijheid van de Grote Markt binnen. Hij had zijn voertuig zorgvuldig geparkeerd op één van de plaatsen die voorzien waren voor politievoertuigen. Voordien had hij de mogelijkheid gehad om in stilte, in alle rust te bidden tot God, en hem om zijn steun te smeken in de moeilijke periode die zou komen voor hem en zijn familie. Maar vooral had hij gebeden om vergeving en om steun voor de vrouw en kinderen van Kemal. Toen hij het politiebureel binnenstapte was hij er klaar voor. Niets aan hem liet zien wat er voordien gebeurd was. Langzaam stapte hij naar de balie, waar een man in een verfomfraaid uniform op zijn uurwerk keek, wachtend op het einde van zijn nachtdienst. Ahmed groette de man en zei dat hij iets belangrijks mee te delen had. Aan de ondertussen toegesnelde, verbouwereerde officier van wacht zei hij 'ik heb iemand gedood,' en hij legde het moordwapen op de balie.

**Donderdag 24 april 2003 – 15.52 uur**

Het werd doodstil in de statige Assisenzaal van het justitiepaleis te Antwerpen. Gespannen keken de journalisten van de eerste rij toe, hoe majestueus de voorzitster van de jury naar haar gevouwen papier keek. Het werd beklemmend stil, bedrukkend. Iemand kuchte. Zij gaf het briefje aan de voorzitter van het Hof. Ina was een jonge ongehuwde vrouw, zelfstandig, woonachtig in het Antwerpse, en sinds een week was ze hier en deed ze wat haar opgedragen was. Ze zetelde in de jury die moest oordelen over de moord op een jonge Assyrische onderdaan, tien maanden ervoor. Hij had geen kans gehad, was gestorven door het moordende vuur van een pistool dat later gestolen bleek te zijn. Ze was er zelf niet aanwezig geweest, maar kon zich die zaterdagavond levendig voorstellen, toen zeven luide knallen het einde maakten aan een jarenlange vriendschap. Zeven kogels voor twee woorden... één vraag bleef branden....

**Waarom?**

Die avond in de buurt van café Çorum in de Antwerpse Klamperstraat, hadden de tradities van de Assyrische gemeenschap het moeten afleggen tegen de normen van de Westerse maatschappij. Die avond was de mens veranderd in een beest. Ahmed had alle waarden laten vallen, zijn normen waren vervaagd, de emotie had van hem weer het Zuiderse dier gemaakt dat schreeuwde om de bloedwraak. Dat kon de enige uitleg zijn. Bloedwraak. In die landen moet alles wijken wanneer men de familie beledigt. Op dat ogenblik veranderde de geïntegreerde Assyrische knaap die in Antwerpen woonde weer in de Turkse bergbewoner uit Hassana.

Gezeten op zijn stoel, gekleed in het rood, als een Koning kijkend over zijn onderdanen, sprak de Voorzitter van het Hof van Assisen op gedempte toon met de raadsheer. Het was zijn laatste Assisenzaak, en hij had er geen plezier aan gehad. Dit was geen echte moord. Strikt juridisch wel, maar hier speelden andere belangen. Als voorzitter mocht hij geen stelling innemen, en dat zou hij ook niet doen, maar als mens had hij het moeilijk met deze zaak. Hier waren er vele slachtoffers, hier had een onbesproken gemeenschap op een brutale manier kennis gemaakt met het geweld in onze hedendaagse maatschappij. Deze zaak was anders dan wat hij normaal voorgeschoteld kreeg. Speurders die kwamen getuigen, buren en vrienden van het slachtoffer en de verdachte, dokters die de revue passeerden, priesters en dominees, allen bestempelden Ahmed als een toonvoorbeeld voor de maatschappij, voor de integratie. De schuld werd bij het slachtoffer gelegd dat vastgeroest was gebleven in zijn egoïsme, en alleen de normen en waarden gebruikte, die hem het best pasten. Zelfs de pers was opvallend kalm gebleven, en er werd alleen heel intens meegeleefd met het slachtoffer en diens familie. Nergens was er sensatie te vinden in artikelen die verschenen.

De voorzitter bekeek de menigte die zich stil en ongedwongen vergaapte aan het in feite macabere schouwspel. De mensen die niet werkten in het grote gebouw aan de Britse lei te Antwerpen, waren altijd onder de indruk van het bombastische, het statige karakter van een dergelijke rechtszaak. De spanning steeg. Niemand durfde nog adem te halen. Te 16.02 uur was het zover. De voorzitter schraapte zijn keel, iedereen ging iets rechter zitten. Links achteraan in de zaal, zaten Daye en Fatma, de lievelingszus van Ahmed, beiden in het zwart gekleed, ineengedoken, wenend en biddend. Verder, helemaal alleen, op de derde rij links, Baba, de vader van de Ahmed. Hij was al lang niet meer bekommerd om het lot van zijn zoon. Toegegeven, hij had geweend, er hadden ook bij hem tranen gevloeid, maar nu, de laatste tijd, waren de spanningen te groot geworden voor hem. Het leek erop dat hij geen medelijden had met zijn moordende zoon. In gedachten beleefde hij telkens opnieuw die moordende nacht.... En die granieten rots verwerkte op dat ogenblik zelf zijn verdriet. Fatma, Ahmeds lievelingszus, keek angstig. Van het begin af aan had ze haar broer gesteund door dik en dun. Die jonge deerne met prachtige ogen en lange zwarte haren, had een nieuwe rol in haar leven gekregen. Van de ene dag op de andere was ze volwassen geworden. Zonder dat iemand het vroeg had ze nu mee de opvoeding van de andere kinderen overgenomen, een taak die Ahmed anders op zich had genomen. Fatma huiverde van schrik als ze de familie van Kemal zag. Wanneer zou dit lijden eindelijk stoppen? Ze was negentien en slank, maar voelde zich oud en versleten. Ze keek naar haar moeder. Niemand kende haar bij naam. Niemand zei Kebani tegen haar. Iedereen noemde haar volgens de Assyrische gebruiken 'Daye' wat zoveel betekent als 'moeder'. In feite betekende dit ook stammoeder of speciaal in haar geval hoofd van de familie. Deze kleine, devote vrouw hield zich kranig, maar iedereen wist hoe zij gebukt ging onder het verdriet. En daar zaten ze op hun eiland in het statige gerechtsgebouw aan de Britse lei te Antwerpen. Hun vroegere vrienden hadden hen verlaten, al kort na de moord. Hollandse predikanten lieten hen vallen als een baksteen, dezelfde predikanten en hun families die de familie voordien altijd hadden gevraagd te helpen aan de uitbouw van de kerk. Diezelfde personen die Daye telkens opnieuw hadden gevraagd te koken op feestjes, de kinderen om deel uit te maken van jeugdbewegingen, en bij de wekelijkse geldophalingen te helpen sparen voor de goede werken in naam van God. Voor die feestjes, die moeite, hadden ze nooit een cent gekregen. Die profiteurs hadden hen nu verlaten. In al die tijd hadden ze zelfs de moeite niet gedaan om één keer Ahmed op te zoeken of een kaartje te sturen naar de gevangenis waar hij verbleef. Hun naastenliefde was omgeslagen in onverschilligheid en egoïsme.

Rechts vooraan, op lange houten banken in de Assisenzaal zaten twintig mannen en vrouwen met fonkelende ogen, vol haat, donker en afwijzend, starend naar Ahmed, de dader. Ze waren in het zwart gekleed, en hadden gevloekt, getierd en geroepen ten tijde van de schietpartij. De avond van de moord was er een voertuig in brand gestoken, en waren de ruiten ingegooid van de woning van Ahmed en Huzeya. Nu wachtten ze stil op wat komen zou. Het was hun moment van wraak dat naderde. Heel discreet hadden zich politiemensen in burger tussen de rest van het publiek gemengd, voor het geval dat de uitspraak de zuiderse gemoederen zou ophitsen, en een storm van geweld, al dan niet verbaal, zou ontketenen. De oude grijsaard van 88 jaar oud, de stamvader, grootvader van Kemal, het slachtoffer in deze geschiedenis, prevelde een gebed. Met één blik had hij de stilte terug laten keren in de groep, want er was geroezemoes geweest toen de jury de zaal weer was binnengekomen. Als een profeet, als een rots middenin de branding stond hij daar stijf en kaarsrecht, zijn ogen priemend naar de voorzitter. Als een blik kon doden, waren er zeker doden gevallen. Maar hij bleef zijn waardigheid behouden, niemand zou hem ooit kunnen een reactie ontlokken. Maar diep in zijn hart waren diepe wonden geslagen. Zijn liefste kleinzoon was hij immers kwijt, voorgoed.

De hoofdrolspeler, de amper dertigjarige Ahmed, zat bewegingloos, het hoofd naar beneden, zoals reeds het ganse proces, ingetogen, verdrietig en berouwvol, waardig als een man, met één vraag die brandde op de lippen van de vele toehoorders in deze zaal:

## Waarom?

Hij was stil en ingetogen. Het geroezemoes verstomde. De voorzitter schraapte zijn keel, en keek langzaam rond in de zaal. Iedereen ging nog iets rechter zitten. Het moment van de waarheid, het moment waar iedereen lang op had gewacht was eindelijk aangebroken, de stem van de voorzitter zou over enkele ogenblikken oordelen over een nieuw leven, over een toekomst en over een verleden. In enkele zinnen zou gerechtigheid worden uitgesproken. Bij de Hasnaye was gerechtigheid alleen bij de gratie van God, en in Zijn Woord te vinden, hier in Antwerpen gebeurde dit anders. In Hassana waren er dorpsoudsten die oordeelden, hier spraken er Belgische rechters, mensen van vlees en bloed, die geen deel uitmaakten van de kleine Assyrische gemeenschap waartoe Ahmed behoorde.

De woorden die de Voorzitter tijdens het verdict uitsprak, waren vlijmscherp: 'De gepleegde feiten zijn onmenselijk, heel erg te noemen, en niemand hier aanwezig heeft het recht een ander het leven te ontnemen, een leven dat ons geschonken is door God. Ahmed, je bent jong en je krijgt nog een kans, toch zul je eerst de straf moeten dragen die de jury en het Hof u opleggen. Deze straf is als een boetedoening voor je daden, maar dient ook om je te laten nadenken over wat gebeurd is. Het is een straf die uitkomst zal bieden, wanneer ze met waardigheid wordt gedragen. In naam van de Koning wordt u veroordeeld tot twintig jaar gevangenisstraf, een straf die u zal uitzitten in de gevangenis. Draag uw straf als een man, kijk naar de toekomst, niet naar het verleden. Laat in de gevangenis alles bezinken, en maak de start voor een nieuwe toekomst. Draag deze last als een man, niet vol wraakgevoelens, maar als een gelovig man, een geloof waar u zoveel blijk hebt van gegeven. Weet dat eens u ook voor onze Schepper zult komen, en dat u uiteindelijk aan Hem rekenschap zult moeten geven, dat u aan Hem het waarom van uw daad zult moeten uitleggen. Aan de weduwe kennen we de som toe van 500.000 euro. Ook deze som zal u uiteindelijk moeten betalen, Ahmed. Het is een zwaar verdict, maar voor de familieleden van het slachtoffer is het nog zwaarder. U krijgt nog een kans, iets wat Kemal nooit heeft gekregen. Ooit moeten de weduwe en de grootvader aan de kinderen van Kemal uitleggen waarom hun vader is heengegaan. Draag alles met waardigheid, wees een man, een rechtschapen man. Eén vraag zullen we nooit kunnen beantwoorden: waarom? Ahmed, vandaag zal een nieuw hoofdstuk in 'het boek van je leven' worden aangevat. Wees een voorbeeld voor de anderen die met vele vragen zitten, vind steun bij je familie en je geloof, maar bovenal, aanvaard de rechtvaardigheid van het vonnis dat je nog een toekomst biedt.

Er klonken geen vreugdekreten die dag in de Assisenzaal van het Antwerpse justitiepaleis. De demonen hadden de Assyriërs verslagen, de wereld was er getuige van geweest. Ahmed werd weggeleid door twee wetsdienaars in een onberispelijk uniform. Bij het verlaten van de Assisenzaal kruiste zijn blik die van Fatma. Het was een lege blik, een blik van moedeloosheid die verried dat deze jongeman dacht aan een verloren toekomst, aan al het leed dat hij had veroorzaakt. Zijn blik kruiste die van Gündüz, die deemoedig het hoofd boog. Ondanks de keiharde verhoren, ondanks een doorgedreven onderzoek, en zelfs tijdens de spannende uren in de Antwerpse assisenzaal, had niemand ooit de vraag kunnen beantwoorden wie het moordwapen had geleverd. De voorzitter had ingepraat op Ahmed en hem geprobeerd te overtuigen om op dit punt de waarheid te zeggen. Hij deed het niet. De advocaat van Ahmed had het geprobeerd, en had in de Assisenzaal zelfs tegenover de jury geopperd dat het kopen van een wapen in Antwerpen gebanaliseerd was, en dat men er zomaar één kon aanschaffen. Maar Ahmed bleef zwijgen. Gündüz, broer van zijn beste vriend, had hem het moordwapen geleverd. Dezelfde Gündüz die overal luid verkondigde dat hij wraak wilde, en die zich burgerlijke partij had gesteld. Het was een onrechtstreekse broedermoord geworden.

Fatma en Daye liepen gearmd door de majestueuze zaal naar buiten, en verdwenen in het gewoel op straat, op de Britse lei waar de enorme bomen als armen naar de hemel reikten. Overmand door verdriet, zonder één keer om te kijken, schreden ze waardig huiswaarts, gebroken maar niet moedeloos. Een nieuw tijdperk brak aan, een nieuwe periode werd aangevat, een helse tocht was ten einde. Ahmed zou zijn straf waardig dragen, de familie zou hem blijven steunen.

Die avond nog werd Ahmed overgebracht van de koude kerker onder het justitiepaleis te Antwerpen, naar de hoofdgevangenis van Leuven Centraal, waar hij nu als een veroordeelde moordenaar vele jaren zou slijten. Hij zou er zitten, als een Assyrische jonge God tussen velen die God hadden verloochend en het werk van de Schepper hadden vernietigd. Hij wist dat alleen zijn geloof hem nog zou kunnen redden, dat alleen het vertrouwen in de Heer deze zware straf zou draaglijk maken. 's Avonds laat lag hij voor de eerste maal op zijn Leuvense brits. Hij was binnengebracht in zijn nieuwe verblijfplaats op de Geldenaaksevest, en onmiddellijk vielen hem de veranderingen op met de Antwerpse Begijnestraat. Hier heerste de berusting, de hoop was verdwenen, het enige dat restte was het eindeloze wachten. Fatma en Daye zouden vele offers moeten opbrengen om hun teergeliefde broer en zoon terug te zien. Tranen welden op, en hij begon plots licht te neuriën. Ahmed neuriede het Onze Vader van een verloren volk, regel per regel, zoals hij ze in de bergen in Hassana had geleerd van zijn Daye en Baba.

Ademend Leven, uw Naam schijnt overal!
Maak een ruimte vrij om uw Aanwezigheid hier te planten.
Maak nu waar het visioen van uw 'Ik Kan'.
Maak concreet uw verlangen, in alle vormen, in alle licht.
Laat door ons groeien het brood en de wijsheid van dit moment.
Maak los de banden van mislukking die ons beklemmen,
zoals wij de touwen van andermans fouten laten vieren.
Help ons de bron niet vergeten,
maar bevrijd ons van het niet in het Nu zijn.
Uit u komt voort, elke Visie, elke Kracht elk lied,
van samenkomst tot samenkomst

Amen

(vertaald uit het Aramees)

Elk woord bracht hem troost in deze moeilijke tijd. Morgen zou het beter zijn, morgen zou het anders zijn, en met een laatste gedachte aan Fatma en Daye, viel Ahmed in slaap.

# SLOT

## Yerabatan Sarayı

In Istanbul, in Turkije, ligt 'het verzonken paleis', onder de minaretten van één van de grootste en meest bekende moskeeën, zijnde de Aya Sofia. Deze moskee trekt jaarlijks miljoenen bezoekers. De, in het Turks genoemde, 'Yerabatan Sarayı' is een op een paleis heersende Byzantijnse citerne, die steunt op 336 zuilen die grotendeels met Corinthische kapitelen (de sierlijke bovenste gedeelten van de zuilen) zijn opgeluisterd. Keizer Justianus liet dit reservoir bouwen in 532 nà Christus, om een einde te maken aan het watergebrek in de stad. Na het betalen van een klein geldbedrag, kom je eerst door een smalle houten deur. Via een brede marmeren trap daal je af naar een andere wereld. Twintig meter onder de grond houden de metersdikke stenen muren de temperatuur constant rond de veertien graden. Het is er een verfrissing tijdens de hete zomer, een doel, een oase van rust in de barre winter. Indirecte verlichting, gecombineerd met sfeervolle, licht klassieke muziek voert je mee in het Constantinopel van vroeger. De metershoge zuilen staan een veertig centimeter in helder water, waarin vissen zwemmen. Tussen deze pilaren wandel je over het water, op houten bruggen, genietend van een wonderbaarlijke klank- en lichtspel. Eén brug trekt de aandacht tussen alle anderen. Ze leidt je naar de duisternis, en aan het einde van die brug staar je in het niets. Af en toe wordt die duisternis, teken van de verdoemenis, onderbroken door een flits indirect licht in de verte. Hier is de plaats waar de vele koppeltjes uit Istanbul elkaar eeuwige trouw beloofden. Het is een belofte die ze later voor het oog van Allah zullen herhalen. Naar deze plek was het dat Ahmed ooit wilde komen met zijn Huzeya.

Het is koud en kil in die cel in de gevangenis van Leuven Centraal, in de vleugel van de zware misdadigers. Ahmed is alleen op deze wereld, hij is alleen in zijn cel, eenzaam met zijn gedachten. Langzaam, als een robot draait hij zich om, en kijkt naar de broeksriem die hij met een lus aan de tralies van het raam heeft gehangen, precies 1,95 meter boven de grond. Zijn ogen dwalen af naar een foto van Fatma en Daye, naar een andere foto van Huzeya en de kinderen. Ahmed gaat op een stoel staan, en denkt na over de last die zijn gezin moet dragen door zijn gevangenschap. De laatste woorden van de voorzitter van het Assisenhof zinderen na 'waarom, waarom...'.

Ahmed is er klaar voor, en denkt na over de Opperste Rechter voor wie hij straks zal verschijnen. Nog even wellen de tranen in zijn ogen, en dan start hij zijn laatste, maar ook langste reis. 'Vaarwel Daye, Vaarwel Fatma, het ga jullie goed.' Luider en luider weerklinken enkele zinnen van het 'Surreth' van Hassana, het wiegelied dat zijn moeder, zijn grootmoeder en de moeders van Hassana zongen in de zon. Luider en luider klinkt dit Engelenlied in zijn hoofd:

Ninni, ninni. Mijn teerbeminde Zoon
Ween niet, maak me niet bedroefd.
Gij zijt alles wat ik heb
Als ik op U betrouw, vind ik altijd steun
Lof zij Hem, lof zij Hem,
Lof zij Hem tot in de eeuwigheid....

## Drieduizend Jaar geschiedenis Arameeërs van Mesopotamië

(de hedendaagse Syrische Christenen)

## Overzicht van de Assyrische geschiedenis

De volgende informatie heeft tot doel aan de lezer een overzicht te geven van de algemeen aanvaarde ideeën over Assyrië en de Assyrische koningen. De data vanaf ca. 900 en zeker vanaf ca. 700 v. Chr. worden gezien als betrouwbaar. De vroegere minder.

De Assyrische geschiedenis tussen ca. 2000 en 612 v.Chr. wordt verdeeld in:

Het Oude Rijk: de stadstaat Assoer die rond 1800 v.Chr. in handen kwam van de Amoriet Sjamsji-Adad I;

Het Middenrijk (14de tot 11de eeuw) met koningen als Assoer-Oeballit I, Adadnirari I, Salmanassar I en Toekoelti-Ninoerta I. Na Tiglatpileser I gaat het rijk ten onder aan interne verzwakking en het opdringen van de Arameeërs;

Het Nieuwe Rijk (900-612 v.Chr.) met koningen als Adadnirari II, Assoernasirpal II, Tiglatpileser III, Sargon II, Sanherib, Esarhaddon, Assoerbanipal. Er zijn overeenkomsten tussen de Assyrische kunst van deze tijd en Egyptische kunst uit het Nieuwe Rijk (b.v. reliëfs met jachtscènes). Vooral na 740 had Assyrië een enorme macht.

Assyrië lag in het noorden van Mesopotamië, aan de Eufraat en de Tigris. De hoofdsteden waren Kalchoe (Kalah, Nimroed), Ninive, Doer-Sjarroekin (Chorsabad) en Assoer. Deze plaatsen lagen in het noorden van Irak aan de Tigris, bij Mosoel. In het zuiden van Mesopotamië lag Babylonië.

Andere geografische namen:

- Balawat: plaats ten oosten van Ninive;
- Elam: ten oosten van Babylon, nu in Iran, hoofdstad Soesa;
- Oerartoe: ten noorden van Mesopotamië bij het Van-meer in Oost-Turkije;
- Skythen en Kimmeriërs: wilde stammen uit Rusland. De Skythen scalpeerden hun vijanden. De Kimmeriërs kwa-

men eind achtste eeuw de Kaukasus over en verwoestten Oost-Turkije. Ze drongen door tot de westkust, waar alleen Efese hen kon weerstaan;

- Anatolië: Turkije, 'het land van de rijzende zon', zo genoemd door de Grieken, die in het westen woonden;
- Mitanni, rijk van de Hoerrieten bij de Eufraat in Syrië. De hoofdstad is nog niet gevonden en er is maar weinig over bekend;
- Hittieten: in Turkije en Syrië. Hoofdstad Hattoesa (Boghasköy) in Noord-Turkije;
- Lydië: Zuidwest-Turkije. Hoofdstad Sardis;
- Karkemisj: nu Jerabloes (=Hiërapolis=heilige stad) aan de Eufraat op de grens van Turkije en Syrië;
- Harran: plaats ten oosten van Karkemisj;
- Amorieten: bewoners van Amoerroe in Syrië;
- Aram: Syrië;
- Moab: in Jordanië, ten oosten van de Dode Zee;
- Edom: het 'rode land' in de Negev-woestijn;
- Mesopotamië: het 'land van de twee rivieren', de Eufraat en de Tigris, nu Irak.

- De voornaamste goden van de Assyriërs:
- Assoer: de nationale godheid;
- Isjtar, de voornaamste godin, gemalin van Assoer;
- Mardoek: de nationale godheid van Babylon;
- Sin: de maangod;
- Sjamasj: de zonnegod;
- Aja: de gemalin van Sjamasj;
- Ninoerta: de oorlogsgod;
- Nergal: de god van het dodenrijk;
- Adad of Hadad: de god van storm, donder en regen;
- Sjala: zijn gemalin, de 'vrouwe van de korenaar';
- Tammoez: later vooral vereerd in Libanon als Adonis (adon=heer).

Een lijst van de Assyrische koningen is op het internet te vinden (zie onder). Hier volgen de koningen vanaf ca. 1500 v.Chr. volgens die lijst:

- Poezoer-Assoer III (vanaf 1520);
- Enlil-Nasir I;
- Assoer-Nirari II;
- Assoer-Bel-Nisjesjoe (1417-1409) (8 jaar);
- Assoer-Rim-Nisjesjoe;
- Assoer-Nadin-Ahhe II;
- Eriba-Adad I.

- Middenperiode:
- Assoer-Oeballit I (1363-1328) (35 jaar) (zie onder), maakt Assyrië onafhankelijk van Mitanni;
- Enlil-Nirari (1327-1318) (9);
- Arik-Den-Ili (1317-1306) (11);
- Adad-Nirari I (1305-1274) (31) (z.o.), Mitanni komt in handen van Assyrië;
- Salmanassar I (1273-1244) (29) (z.o.), Oerartoe komt in handen van Assyrië;
- Toekoelti-Ninoerta I (1243-1207) (36), plundert Babylon, wordt vermoord door zijn eigen zoon;
- Assoer-Nadin-Apli (1206-1203) (3), de macht van Assyrië verzwakt;
- Assoer-Nirari III (1202-1197) (5);

- Enlil-Koedoerri-Oesoer (1196-1191) (5);
- Ninoerta-Apal-Ekoer (1191-1179) (12);
- Assoer-Dan I (1178-1133) (45), Babylonië veroverd door de Elamieten;
- Assoer-Resja-Isji I (1132-1115) (17), Nebukadnezar I van Babylon verovert Elam;
- Ninoerta-Toekoelti-Assoer (1115-1114) (1);
- Moetakkil-Noeskoe (1115-1114) (1);
- Tiglath-Pileser I (1114-1076) (38) (z.o.), verdedigt Assyrië, verslaat Nebukadnezar;
- Asjarid-Pal-Ekoer II (regeerde alleen in Ninive, Irbil en Assoer);
- Assoer-Bel-Kala (1076-1057) (19);
- ? (4);
- Sjamsji-Adad IV (1053-1049) (4);
- 5 onbekende vorsten (39);
- Assoer-Rabi II (1010-970) (40), Israël onder David en Salomo;
- Assoer-Resj-Isji II (969-967) (2);
- Tiglatpileser II (966-935) (31) (z.o.);
- Assoer-Dan II (934-912) (22).
- Late periode:
- Adad-Nirari II (911-891) (20) (z.o.), verovert Babylonië, Anatolië en de Syrische vlakte;

- Toekoelti-Ninoerta II (890-884) (6), sluit vrede met Babylon;
- Assoernasirpal II (883-859) (24) (z.o.), het Assyrische rijk bereikt de Middellandse Zeekust;
- Salmanassar III (858-824) (34) (z.o.), verslaat de Arameeërs en verovert Babylon en Perzië;
- Semiramis (811-806) (5) (z.o.); heerst over Assyrië zolang haar zoon minderjarig is;
- Adad-Nirari III (806-783) (23) (z.o.), de Assyrische macht verzwakt;
- Salmanassar IV (782-773) (9) (z.o.);
- Assoer-Dan III (772-755) (17), opstanden tegen Assyrië;
- Assoer-Nirari V (754-745) (9);
- Tiglatpileser III (744-727) (17) (z.o.), Assyrië weer oppermachtig;
- Salmanassar V (726-722) (4), verovert Samaria, deporteert de tien stammen van Israël;
- Sargon II (721-705) (16), verovert Egypte, Oerartoe en Babylon; sneuvelt in veldslag;
- Sanherib (704-681) (23) (z.o.), slaat opstanden neer, verwoest Babylon;
- Esarhaddon (680-669) (11) (z.o.), herbouwt Babylon, verslaat de Skythen, Kimmeriërs en Egyptenaren;
- Assoerbanipal (668-627) (41) (z.o.), verslaat Egypte, Lydië en Elam;
- Assoer-Etel-Ilani (627-624) (3), de Babyloniërs vallen Assyrië aan;

- Sin-Sjar-Isjkoen (623-612) (11), de Meden plunderen Ninive;
- Assoer-Oeballit II (612-?) (z.o.), vlucht naar Harran, gesteund door farao Necho II.

De belangrijkste koningen, gerangschikt naar hun namen:

ADAD-NIRARI I (1305-1274), de belangrijkste vorst uit de Midden-Assyrische tijd. Veroverde noord-Mesopotamië en streed succesvol in Babylonië. Hij is de oudste Assyrische koning van wie annalen bekend zijn.

ADAD-NIRARI II (911-891), Neo-Assyrische koning, streed in het westen tegen de Arameeërs, in het noorden tegen de Naïri en in het zuiden tegen Babylonië. De Assyrische eponiemencanon (een lijst van jaren die naar bepaalde gebeurtenissen waren genoemd) begint met zijn regering.

ADAD-NIRARI III (810-783) is vooral bekend om zijn veldtochten in Syrië en Phoenicië. Hij ontving volgens een te Tell Rimah ontdekte stèle tribuut (geschenken) van koning Joas van Israël. De veronderstelling dat hij gedurende zijn eerste vijf regeringsjaren werd gedomineerd door Semiramis (bekend van een Griekse mythe) is onhoudbaar. De naam A. betekent 'Adad is mijn steun'.

SALMANASSAR I (Midden-Assyrisch, ca. 1274-1245), grote veroveraar, heeft uitvoerige annalen achtergelaten van zijn veldtochten. Hij veroverde gebieden in het oosten (het latere Oerartoe) en in het westen (tot aan de Eufraat, waar hij de resten van het rijk Mitanni inlijfde). Hij schreef een brief aan de Hittitische koning Toethalias IV, die ook correspondeerde met zijn opvolger Toekoelti-Ninoerta I. Hij bouwde aan de Isjtar-tempel in Ninive.

SALMANASSAR III (ca. 858-824), grote veroveraar, zoon van Assoernasirpal II, breidde zijn gebied uit tot de Eufraat, ondernam veldtochten in Oerartoe, Babylonië, zuid-Anatolië en Syrië. Hij trok met zijn leger 25 keer de Eufraat over, drong door tot in Cilicië (zuid-Turkije) en noord-Palestina. Hij stuitte op een Syrisch-Palestijnse coalitie met o.a. koning Achab van Israël en de vorsten van Damascus en Hamath, met wie hij de slag bij Karkar (853) uitvocht. Hij slaagde er niet in Damascus in te nemen. Hij liet o.a. de 'Zwarte Obelisk' (in het British Museum) en de bronzen deuren van Balawat maken. In Kalchoe is een enorm groot Fort Salmanassar gevonden, met daarin ivoorsnijwerk.

SALMANASSAR II, IV en V zijn minder belangrijk. S. V veroverde Samaria. De naam SALMANASSAR betekent: 'De god Salaam' of 'Sjoelmanoe is de eerste'.

ASSOER-OEBALLIT I (1363-1328), grondlegger van het Middelas-syrische Rijk, breidde zijn macht uit in westelijke richting. Het Hoerritische rijk Mitanni, dat Assyrië tot dan toe had overheerst, werd schatplichtig (koning Artatama). Een deel van Mitanni kwam in handen van de Hittitische koning Soeppiloelioema. Hij correspondeerde met farao Echnaton (Amarna-brieven) en was verzwagerd met de Kassitische koning Boernaboeriasj van Babylon. Na de dood van de laatste zorgde hij ervoor dat zijn kleinzoon Koerigalzoe op de Babylonische troon kwam. Hij bouwde in Assoer en Ninive.

ASSOER-OEBALLIT II (612-609), de laatste Neo-Assyrische koning, die na de verwoesting van Assoer en Ninive nog enkele jaren in Harran in Syrië regeerde. Ondanks de steun van farao Necho II werd hij verslagen door de Babyloniërs in de slag bij Karkemisj aan de Eufraat. De naam A. betekent: 'De god Assoer heeft gegeven'.

ASSOERNASIRPAL I (1050-1032); over hem is weinig bekend. De 'Witte Obelisk' wordt door sommige geleerden toegeschreven aan A. I, door andere aan A. II.

ASSOERNASIRPAL II (883-859), de eerste grote vorst van het Neo-Assyrische Rijk, breidde zijn gebied uit naar het noorden, oosten en westen, streed tegen bergvolken in de Zagros, Koerdistan, zuid-Anatolië en noord-Mesopotamië en tegen de Arameeërs. Verder hield hij veldtochten naar het westen; kort na 870 bereikte hij de Middellandse Zee. In zijn paleis in Kalchoe zijn talrijke wandreliëfs gevonden. De naam betekent 'Assoer beschermt de erfzoon'.

TIGLATPILESER I (1115-1077), groot veroveraar, berucht om zijn wreedheid: executies, deportaties, plunderingen. Tegen het eind van zijn regering veroverde hij Babylonië. Onder hem bereikte Assyrië een hoogtepunt van zijn macht. Hij verzamelde exotische dieren en planten in een dierentuin en liet een bibliotheek aanleggen. Hij bouwde veel in Assoer en Ninive. Hij heeft uitvoerige annalen achtergelaten.

TIGLATPILESER II is minder belangrijk.

TIGLATPILESER III (744-727), een van de belangrijkste Assyrische koningen. Groot veroveraar, berucht om zijn wreedheid: executies, deportaties, martelingen. In het Oude Testament 'Poel' genoemd (2 Koningen 15:19). Koning Achaz van Juda riep zijn hulp in tegen Israël en Damascus. Hij ondernam veldtochten naar Syrië en Palestina (743-740, 738, 734-732), veroverde Arvad (740) en Damascus (732). Hij streed tegen de Chaldeeën in Babylon en werd aan het eind van zijn regering koning van Babylon (728-727). Bij opgravingen in Kalchoe (Kalah) zijn veel reliëfs van hem gevonden, die later gebruikt waren door Esarhaddon. Hij legde de basis voor de grote Assyrische bloeiperiode onder de Sargoniden. De naam betekent 'Hulp van de zoon van Esjarra [=de god Ninoerta]'.

SANHERIB (705-681), zoon van Sargon II, voerde vele oorlogen. Hij verwoestte Babylon in 689. Zijn beleg van Lachisj is afgebeeld op een reliëf in het British Museum. Zijn leger werd vernietigd door een geheimzinnige ramp toen hij Egypte wilde binnenvallen (2 Koningen 19:35, Jesaja 37:36). Jerusalem werd daardoor gered. Hij werd daarna vermoord door zijn zoon Arda-moelisj tijdens een opstand (Jes. 37:38). De naam betekent 'Sin, vervang de [gestorven] broeders'.

ESARHADDON (681-669), opvolger van Sanherib. Hij nam Sidon in (677), de Filistinse steden en Thebe in Egypte (671), versloeg de Ethiopische farao Taharqa (Tirhaka) en Manasse van Juda, Edom en Moab. Genoemd in 2 Koningen 19:37. Hij benoemde zijn oudste zoon Sjamasjsjoemoekin tot koning van Babylon en zijn jongste zoon Assoerbanipal als koning van Assyrië. De naam betekent 'Assoer heeft een broeder geschonken'.

ASSOERBANIPAL (668-627), de laatste grote koning van Assyrië, zoon van Esarhaddon. Hij versloeg Egypte, Lydië en Elam en liet een grote bibliotheek aanleggen in Ninive (ca. 2000 kleitabletten teruggevonden). In het Grieks werd hij Sardanapalos genoemd, in het Oude Testament Asenaphar. De naam betekent 'Assoer is de schepper van de erfzoon'. Hij raakte in conflict met zijn broer Sjamasjsjoemoekin, de koning van Babylon, die gedood werd (652).

**De Assyrische taal (Akkadisch)**

Akkadisch is geattesteerd van de Fara periode (ca. 2800 v.Chr.) tot de 1e eeuw na Chr., al werd het in de laatste eeuwen voor Christus geleidelijk vervangen als gesproken taal door het Aramees en bleef het hoofdzakelijk als geleerde taal verder leven (cfr. het Latijn in de Middeleeuwen).

Mesopotamië was het thuisland van deze taal, maar op verschillende tijdstippen werd het ook ver buiten dit gebied gebruikt, gaande van Perzië in het Oosten tot Syrië-Palestina en zelfs Egypte in het Westen.

Gedurende die lange periode en verspreid over zo'n immens gebied onderging het uiteraard wijzigingen. Men onderscheidt dan ook binnen de term Akkadisch verschillende dialecten.

Een overzicht:

- Oud-Akkadisch (2500-1950)
- Oud-Babylonisch - --------------- Oud-Assyrisch
  (1950-1530) -------------------- -(1950-1750)
- Midden-Babylonisch -------------Midden-Assyrisch
  (1530-1000) -------------------- (1500-1000)
- Neo-Babylonisch--Standaard Babylonisch-- Neo-Assyrisch
  (1000-625) -------- (1500-500) ---- --------(1000-600)
- Laat-Babylonisch
  (625-75 A.D.)

We zien dat er van het begin van het 2e millennium tot het einde van het Assyrische rijk er een indeling bestaat in twee dialecten, Babylonisch en Assyrisch.

Na de Oud-Babylonische periode loopt parallel, naast de gesproken taal, een artificieel geschreven vorm van de taal (Standaard Babylonisch), die sterk aansluit bij het Oud-Babylonische dialect.

Naast deze centrale dialecten zijn er meerdere dialecten geattesteerd. Dit zijn alle geschreven varianten van het Akkadisch, beïnvloed door verschillende lokale dialecten (Susa, Boghazköy, Alalah, Nuzi, Ugarit, Amarna).

De teksten, bewaard in het Akkadisch, zijn van velerlei aard: rituelen, gebeden, hymnen, voorspellingen, literatuur, brieven, contracten, zakelijke bestanden, verdragen, enzovoort.

Het is opvallend dat wanneer men tegenwoordig in Antwerpen (oudere) mensen uit de (Turks) Assyrische gemeenschap ontmoet, er een grote kans is dat enkelen van hen alleen het Assyrisch praten en begrijpen. Het probleem ontstaat aldus dat door ontstentenis van tolken, deze mensen regelmatig in de kou blijven staan wanneer goedbedoelende sociale begeleiders deze ouderen een Turkse tolk opdringen, zodat ze beslissingen aanvaarden die voor hen werden genomen, en die ze niet begrijpen.

## De Assyrische genocide

Het voordeel van Internet en van onze hedendaagse hulpmiddelen is het feit dat men er verschillende studies, over alle mogelijke onderwerpen kan terugvinden. Het schrijven van dit werk kon alleen tot stand komen dank zij de goede zorgen van mijn grote voorbeeld Simon Schoonvliet, die van in het begin stelde dat een goede documentatie even belangrijk is als het werk zelf. Via het boek wil men de lezer niet alleen een verhaal brengen, maar ook informatie die accuraat moet zijn, en misschien de nieuwsgierigheid kan opwekken om meer te weten te komen over een bepaalde problematiek. Daarom leek het me noodzakelijk om te eindigen met een goed onderbouwd essay dat handelt over het heden en de toekomst van de Assyrische Christenen, ontstaan door gebeurtenissen uit het verleden. Is er nog een toekomst voor deze mensen in hun geboorteland?

## Syrische en Assyrische christenen en het probleem van de erkenning van de genocide

( Herman Teule )

Het leek het laatste jaar relatief goed te gaan met de Syrische christenen van Oost-Turkije. Misschien is de reden wel dat ze nog maar zo weinig in aantal zijn (1.500), dat ze een verwaarloosbare, niet bedreigende minderheid zijn geworden. In ieder geval beginnen sommige Koerden uit de streek Tur Abdin zich de vraag te stellen waarom hun christelijke buren vertrokken zijn. Er waren een tijd lang geen berichten meer van belangrijke incidenten of overvallen op christelijke instellingen, zoals die in de periode '88-'98 schering en inslag waren. En bij sommige christenen die nu in het buitenland leven, komt zelfs heel af en toe de vraag op of het niet mogelijk zou zijn terug te keren, eventueel als optie voor de ouderen. Begin oktober vond echter een gebeurtenis plaats die fundamentele vragen stelt over houding van de Turkse autoriteiten ten aanzien van de Syrische christenen.

In een ophefmakend bericht van 4 oktober 2000 drukt de Turkse krant Hürriyet een gesprek af met Yusuf Akbulut, de Syrisch-orthodoxe priester van de Meryem Ana (Moeder Maria) kerk te Diyarbakir. Deze verklaarde dat behalve de Armeniërs ook de Aramees- of Syrischtalige christenen het slachtoffer zijn geweest van genocide en in de periode van 1915-1918 in grote scharen vermoord zijn door de Turken met de hulp van Koerdische handlangers.

Het is bekend dat Turkije niet bereid is over te gaan tot een of andere vorm van erkenning van de volkerenmoord op de Armeniers. De verklaring van Akbulut kon daarom rekenen op de verontwaardiging van de redactie van Hürriyet, een krant van nationalistische signatuur, die de priester als verrader bestempelde. In feite deed Akbulut niets anders dan te wijzen op een tragedie die tot op de dag van vandaag door de Syrische christenen niet is verwerkt, en vaak, ook voor de christenen in de diaspora, een indirecte legitimatie is geworden om te vertrekken uit hun oorspronkelijke woongebieden.

## Het jaar van het zwaard

Als we spreken over de moordpartijen op de Syrisch-talige christenen is het goed een onderscheid te maken tussen aan de ene kant de zogenaamde Assyrische christenen en de Suryoyê, de Syrisch-orthodoxen. Beide groepen noemen '1915 het jaar van het zwaard. Wat is er toen gebeurd?

Op 7 november 1914 riep het hoogste islamitische gezag in Istanbul in een fatwa (religieus decreet) de strijd tegen Rusland, Frankrijk (traditionele beschermers van christenen in het Osmaanse Rijk) en Engeland uit tot een 'Heilige Oorlog'. De strijd had dus duidelijk anti-christelijke implicaties. Het effect op de christelijke onderdanen van het Rijk was enorm. Zoals we lezen in een van de verslagen opgesteld door de Suryoyê: ‘in dat jaar werd door de Sultan van de Osmanen, Mehmet Reshat, het bevel gegeven tot het doden van de christenen'. Een deel van deze Heilige Oorlog werd aan het oostelijk front gevoerd. Voor de Osmanen was dit de streek van Noordwest-Perzië (Azerbaijan), een gebied dat voor een groot gedeelte bevolkt was door Assyrische christenen (70.000), vooral rond de stad Urmiah. In de winter van 1914-1915 trok het Derde Turkse leger ten aanval tegen de Russen die de provincie Azerbaijan bezet hadden en die zich beschouwden als de beschermers van de Assyriërs, met wie ze overigens ook bepaalde militaire afspraken gemaakt hadden, bijvoorbeeld op het vlak van bewapening. Deze Assyro-Russische connectie verklaart dat ook een aantal Assyriërs uit gebieden gelegen binnen Osmaanse grenzen naar Azerbaijan getrokken waren. Toen de Russen zich gedurende een periode (januari-mei 1915) uit Azerbaijan terugtrokken en de Turken daar dus vrij spel kregen, waren de gevolgen voor de Assyriërs verschrikkelijk. Een aantal van hen (15.000-25.000) trok mee met de Russen naar het noorden, onbeschermd tegen de koude van de Kaukazische winter. Wie achter bleef probeerde bescherming te vinden in de stad Urmiah, vooral in de missieposten van Amerikaanse presbyteriaanse zendelingen, die diplomatieke onschendbaarheid genoten. De missionarissen deden heldhaftig werk en konden bescherming bieden aan niet minder dan 12.000 christenen, maar, opeengehoopt in drie lokaties, stierven velen van ontbering. Een groot aantal christelijke dorpen in de nabije en verdere omgeving van Urmiah zijn totaal verwoest, vaak door Koerden, en de inwoners vermoord of op de vlucht gedreven, vrouwen en meisjes meegenomen, verkracht of uitgehuwelijkt aan Koerden. In februari 1915 verklaarde de Osmaanse gouverneur van de provincie die verantwoordelijk was voor de moordpartijen in Azerbaijan, Djevdjet Bey, dat deze streek nu definief gezuiverd was van de Armeniërs en de Assyro-Chaldeeërs. De Hakkari-streek, zetel van de patriarch, was enkele maanden later hetzelfde lot beschoren, nu door een goed georkestreerde campagne vanwege de Turkse autoriteiten, wederom geholpen door Koerdische stammen (voor 1915/16: op 153.000 Assyriërs 20-30.000 doden). Wat er in deze streken gebeurd is, is goed gedocumenteerd, onder meer door de verslagen van Amerikaanse missionarissen en tal van Assyrische ooggetuigen.

In Urfa waren vooral de Armeniërs (15.000) slachtoffer, maar bij de moordpartij van 19 november 1915 werden razzia's gehouden tegen alle christenen zonder onderscheid (naast Armeniërs, Chaldeeërs en Syrisch-orthodoxen). In Si'irt en de dorpen er omheen (vooral Chaldeeuws: 20.000) en Diyarbakir (Chaldeeuws en Syrisch-orthodox) waren de christenen, niet alleen de mannen, maar ook vrouwen en kinderen, het slachtoffer van systematisch opgezette razzia's. Na de oorlog was er in de Chaldeeuwse bisschopsstad Si'irt geen christen meer over. Wat de Suryoyê betreft van Tur Abdin, valt op dat deze gemeenschap, misschien van Tur Abdin, valt op dat deze gemeenschap, misschien wel wegens de relatief beperkte contacten met westerse christenen, een grote solidariteit had ten aanzien van het Osmaanse regime. Anders dan de Assyriërs of Armeniërs koesterden ze geen dromen van bepaalde vormen van autonomie. In de aanloop tot WO I deed hun patriarch alles om de Osmaanse autoriteiten duidelijk te maken dat ze onderscheiden waren van de Armeniërs en nooit nationalistische aspiraties hadden gekoesterd. Misschien met een zeker succes: er zijn voorbeelden te geven dat Turkse officieren de Suryoyê effectief bescherming boden. In 1915 bood deze solidariteit echter weinig soelaas. In de dorpen van Tur Abdin zouden 80.000 Suryoyê zijn omgekomen. Ook in de belangrijke stad Mardin leden ze grote verliezen. Veel migranten uit Tur Abdin kennen nu nog de verhalen van de belegering en de verdediging van dorpen als Miden of Ainwarda. Vooral het beleg van het laatste dorp spreekt in de verhalen tot de verbeelding omdat het een van de weinige plaatsten is geweest waar de christenen, mede dank zij de hulp van een Koerdische Agha, stand hebben kunnen houden.

## Genocide

1915: het jaar van het zwaard, van een gruwelijke slachting. De vraag die men zich moet stellen, mede naar aanleiding van de uitspraak van priester Akbulut, is of het hier gegaan is om een werkelijke genocide, de doelbewuste en geplande eliminatie van een bevolkingsgroep, haar cultuur en religie. In het geval van de Armeniërs is de wetenschappelijke wereld het er over eens dat het hier gegaan is om een geplande eliminatie van het Armeense volk van het gebied van Klein-Azië, en niet, cynisch gezegd, slechts een 'slachting', een incident de parcours, betreurenswaardig, maar onvermijdelijk in een oorlog, iets dat ook het huidige Turkije bereid is te erkennen. Aan het ‘ Center for Comparative Genocide Studies’ van de Macquarie University in Sydney, heeft in juli 1999 een conferentie plaats gehad, met precies de vraag of ook in het geval van de 'Assyriërs' er sprake is van genocide. Uit documentatie kan men opmaken dat het om een goed georkestreerde campagne van eliminatie ging en er veel meer aan de hand was dan het geval van slachtoffers van een oorlog (bijvoorbeeld de vrijheidsstrijd van een minderheid, alliantie van de Assyriërs met de vijand) of van toevallige razzia's van Koerdische stammen die uit waren op de (zeer betrekkelijke) rijkdom van hun christelijke buren. De talloze getuigenissen van moord op en deportaties van onbeschermde vrouwen en kinderen, georganiseerd en/of gedoogd door de autoriteiten, wijzen op een bewuste politiek van zuivering.

Op basis van de bestaande documentatie moet men stellen dat in ieder geval de lokale autoriteiten van Oost-Anatolië, met medewerking van het leger, een grote verantwoordelijkheid droegen. Verder komt een grote verantwoordelijkheid toe aan een aantal Koerdische stammen, die ofwel handelden als medewerkers van de politiek van genoemde autoriteiten, ofwel, meer lokaal, profiteerden van de situatie om zich te verrijken ten koste van hun vroegere christelijke buren.

## De toekomst

Het verhaal van de genocide komt de laatste tijd systematisch onder onze aandacht. Behalve de genoemde conferentie in Sydney, zijn er ook op andere plaatsen (San José in Californië, centrum van Oost-Syrische diaspora; in Zweden) studiebijeenkomsten over de genocide georganiseerd. Op verschillende plaatsen in West-Europa (Brussel, Amsterdam, Stockholm, Zürich) zijn er demonstraties gehouden of zelfs hongerstakingen om de publieke opinie voor het thema gevoelig te maken.

Ook als we de talrijke tijdschriften doorbladeren die door verschillende Syrische en Assyrische organisaties gepubliceerd worden, of ze nu kerkelijk zijn of meer politiek georiënteerd, zien we dat de verhalen over de genocide daar veelvuldig een plaats krijgen, dikwijls in de vorm van gedichten. Door de BarHebraeus-uitgeverij in Glanerbrug, een van de centra van de Suryoyê in West-Europa, wordt veel aandacht geschonken aan het publiceren van materiaal over de genocide: in 1981 een bundel met twaalf mêmrê, zeer lange metrische composities over de Sayfê, de slachtingen in Turkije op Syrische christenen in de periode 1714-1914, met de nadruk op de latere periode. Een vervolg hierop werd gepubliceerd in 1987, met vooral gedichten uit vroegere periodes. In hetzelfde jaar verscheen ook een bundel met materiaal over de genocide in proza-vorm). De drie werken zijn voor het grootste gedeelte in het Syrisch gesteld.

In deze publicaties zien we globaal twee onderscheiden (elkaar niet uitsluitende) tendensen: 1] In West-Europa vinden we een Syrische en Assyrische presentie sinds ongeveer de jaren zeventig, toen veel

Suryoyê uit Tur Abdin in het kader van gastarbeid werk kwamen zoeken in vooral Duitsland, Nederland en Zweden. Hoewel de redenen voor vertrek aanvankelijk zeker mede van economische aard waren, wordt als legitimatie voor het vertrek ook de onmogelijkheid van samenleven met de Koerdische buren of de Turkse autoriteiten opgegeven. De reeks voorbeelden die deze beweringen staaft, begint of eindigt vaak met de verhalen van het jaar van het zwaard. Blijkbaar functioneert de genocide - onder de eerste migranten vinden we een aantal overlevenden van 1915 - als een legitimering van het vertrek uit Turkije. Bitter wijst men er dan ook op dat in zekere zin er niets veranderd is. Er is dezelfde onbetrouwbaarheid vanwege de Koerdische omgeving. De Turken proberen iedere herinnering aan een niet-Turks volk uit te wissen door het Turkificeren van de Aramees-christelijke plaatsnamen. En de Aramees-Syrische taal mag niet of slechts onder zeer beperkende voorwaarden bestudeerd worden.

2] Een andere tendens heeft culturele en politieke implicaties. De genocide van 1915, maar vooral de erkenning van dit feit zowel door de internationale gemeenschap als door Turkije, moeten er toe leiden dat op een of andere manier het bestaan zelf van een Syrisch-Assyrisch volk in de aandacht komt, en zijn rechten kan claimen. Wat Turkije betreft wijst men er op dat volgens de Turkse interpretatie van het verdrag van Lausanne (1923), waarmee het minderheden-probleem in de nieuw opgerichte Turkse staat geregeld werd, wat de christenen betreft, alleen Hellenen en Armeniërs specifieke rechten hebben. Het erkennen van de genocide is binnen deze stroming een eerste noodzakelijke stap op weg naar de erkenning dat de westerse wereld in de nasleep van de Eerste Wereldoorlog schromelijk in gebreke is gebleven om de rechten van de Assyriërs te vrijwaren. Ten tweede zou erkenning van de genocide ook inhouden dat men legitieme aanspraken heeft in de regio, waaruit men als slachtoffer is verdreven. Het is niet toevallig dat een tijdschrift als Hammurabi naast berichten over de genocide uitgebreid ingaat op de territoriale 'dromen' van de christenen op de vredesbesprekingen van Parijs in 1920. De politieke realiteit van het huidige moment moet uiteraard mede bepalen welke vorm deze aanspraken nu kunnen innemen. In ieder geval gaat het om aanspraken van culturele aard, bijvoorbeeld het recht op het gebruik en onderricht van de eigen taal, van 'nationale' symbolen, feesten enzovoorts. Daarnaast zijn er politieke aanspraken van verschillende aard. De belangrijkste is wel de erkening van Assyrische nationalistische partijen zoals de ADO (Assyrische Democratische Organisatie) in verschillende landen of de ADM (Assyrische Democratische Beweging) in Noord-Irak. Of de bescheiden successen die men nu boekt in het Koerdische (!) Noord-Irak, met erkenning van de christelijke minderheid aldaar, stand zullen houden, is een open vraag. Of in de toekomst de vele Ahmeds en hun families kunnen terugkeren naar hun Hassana is eveneens onbekend. De enige zekerheid is het feit dat in Antwerpen, in 2004, er een Christelijke leefgemeenschap is die afkomstig is uit Hassana, leeft volgens de geboden van God en elke dag opnieuw vol heimwee denkt aan het verleden....

## Bibliografie

Voor het schrijven van dit verhaal, dat een brug moet zijn naar verdraagzaamheid, en een aanzet om elkaar toch eens beter te leren kennen, kon ik rekenen op de steun van velen, en gebruik maken van diverse werken die inspiratie gaven. In eerste instantie dank aan Amnesty International welke enkele tips over interessante sites bezorgde over de Hasnaye, zijnde de inwoners uit Hassana. Verder dank aan de familie Yikik – Olcas uit Antwerpen voor hun vriendschap, het Bijbelhuis met Jaap en Ina, en leden van de Protestantse Gemeenschap uit Antwerpen zoals Dinny. Dank aan Marjan en Filip voor de steun en de antwoorden op vele vragen in mijn zoektocht naar de Vlaamse identiteit. Maar mijn grootste dank gaat uit naar kunstenaar en schrijver Simon Schoonvliet en zijn vrouwtje Lydia, mijn mentors en strenge verbeteraars, zonder wiens hulp dit werk nooit tot stand kon zijn gekomen.Verder kon ik putten uit verschillende bronnen:


- ‘Vlaams Belang – september 2003’
- ‘Doorbraak – september 2003’
- ‘De bijbel’
- ‘De Guldensporenslag, verhaal van een onmogelijke gebeurtenis’ door Karim Van Overmeire
- Het weekblad ‘Time’, steeds een inspiratiebron van interessante artikelen
- ‘Mechelen aan de Tigris’ door August Thiry
- ‘Culinaire groetjes uit Kieldrecht’ uitgegeven door ‘Culinair genot’ – juni 2003
- ‘Türkçe sözlük’ – Türk dil kurumu
- ‘De Armeense genocide’ – Marc Joris – december 2003
- Verschillende nummers van Syrische en Assyrische diaspora-tijdschriften: Kolo Suryoyo (kerkelijk, Nederland); Re-

nyo Hiro (politiek, Nederland); Hammurabi ('cultureel', Frankrijk); Furkono (politiek, Zweden).

**Studies:**

- G. Yonan, Ein vergessener Holocaust. Die Vernichtung der christlichen Assyrer in der Türkei, Reihe Pogromm 148/49, Berlin 1989;

- J. Naayem, Les Assyro-chaldéens et les Arméniens massacrés par les Turcs, Paris 1920.

**Getuigenissen:**

Suleymân dBeth Henno, Gunhê d-Suryôyê d-Tur Abdin, Glanerbrug1987;

Tenhôto d-Tur Abdin, (red. Y. Ciçek), Glanerbrug 1987;

Memrê d-'al-Sayfê (red. Y. Ciçek), Glanerbrug 1981;

A. Karabash, Dmô zlîchô (Het vergoten bloed), Glanerbrug 1999.

## De auteur

In het boek komt de liefde van de schrijver Stefaan Van Bossele voor zijn Vlaanderen naar boven, maar ook zijn bewondering voor het mystieke van de Turkse cultuur, hun zeden en gewoonten. Sedert 1993 reisde hij reeds meer dan tien maal naar dit land, en in Istanbul heeft hij zijn hart verloren. Het boek kwam tot stand na een studie van twee en een half jaar over de Assyrische Christenen, en enkele delen werden in Turkije geschreven om te proberen de mystieke sfeer van de - lokanta - over te brengen. Het verhaal zelf is meer een leidraad voor de lezer om kennis te maken met een wereld die hij niet of onvoldoende kent, maar wordt tevens een betrouwbaar naslagwerk voor hen die meer willen weten over de geschiedenis van de Assyrische Christenen in Turkije. Het boek is tevens een ode aan de Vlaming die dagelijks wordt geconfronteerd met de problemen van een grote stad, maar ook aan allen die mee helpen bouwen aan een wereld vol vrede en verdraagzaamheid.